JN035053

46歳で父になった社会学者

工藤保則

ミシマ社

まえがき

「じゅんくんは、おおきくなったら、ルパンレンジャーになりたいなー。パパはおおきくなったら、なんになりたい？」

二年前のある日、五歳の子どもに聞かれた。

「パパは大きくなったら……、うーん、なにになりたいかなぁ……」

うまくこたえられないまま考えこんでいると、子どもは笑顔でこう言った。

「なんでもすきなものに、なったらいいよ」


私は人よりかなり遅く、四十六歳で父になった。

ずいぶん大きくなってからなったものだが、息子がルパンレンジャーになるころには、私もまたなにかになれるかもしれない。そう思うと、なんだかうれしくなってきた。

子どもの成長はめまぐるしい。毎日、なにかが違う。毎日、なにかが起こる。そして私は、毎日、なにかを思い、感じる。

子どもが生まれたことで私の生活は一変した。

なによりもまず、仕事をする時間がぐっと減った（ここで言う「仕事」とは、講義や校務のことではなく、勉強をしたり原稿を書いたりすることを指している）。

子どもが生まれる前は夕食と入浴を終えたあとの時間は仕事にあて、十二時ごろに寝ていた。子どもが生まれてからは、子どもが就寝する九時過ぎまで子どもの相手と家事に追われ、息をつく暇もない。そのあとも、保育園の連絡帳にその日の様子を記したり、やり残した片づけをしたりしていると、あっという間に十時になる。

必然的に、夜に外出することがほぼなくなった。もともと私はお酒が飲めない。けれども、人と話をするのは好きなほうなので、そういう場に行くのは嫌いではなかった。が、今ではまず行くことはない。人づきあいが変わった（悪くなった？）かもしれない。

休日に家で仕事をすることもなくなった。休日は、子どもと遊んだり、家族で出かける日になった。おかげで、「子どもが楽しめる場所」にはずいぶん詳しくなった。

入浴や食事のしかたも変わった。一日の疲れをとってリラックスするために、ゆっくりお風呂に入っていたのが、今では子どものからだを洗うために入っているようなものである。少し肌が敏感な子どものために、天然成分の石鹸から泡立てネットを使って泡をつくるのもうまくなった。

朝食はあわただしく十分くらいで食べ終えていたのが、ゆっくりと三十分は食卓につくようになった。健康的でいいことだと思うが、意識してそうなったのではない。食べることに集中できない子どもにつきあっていると、結果としてそうなったのである。

そして、ほとんど料理をしなかった私が、今では平日の夕食をつくっている。レパートリーもかなり増えた。これはともに仕事を持ちながら育児をする妻との関係の中で変わったことである。

ほかにも「変わったこと」をあげればきりがない。あらゆることにおいてそれまでの自分のペースはことごとく崩され、子どもの生理や生活を基にしたものに切りかえられた。けれども、それは決して不本意なことや嫌なことではなく、人生なかばを過ぎたところで思いがけず遭遇した、生活に新鮮なリズムとテンポをあたえてくれるうれしい転機だった。それまでの人生の延長線上ではなく、別の人生を一から生きているような感じさえする。

同時に、自分自身の人生を一から生きなおしている感じもしている。子どもが離乳食を食べられるようになる。ハイハイができるようになる。ヨチヨチ歩けるようになる。普通食を食べられるようになる。トコトコ歩けるようになる。片言を話せるようになる。会話が成立するようになる。トイレでおしっこができるようになる。さらにうんちもできるようになる。数えきれないほどの成長の段階がある。

これらを間近で見ていると、「自分もこうだったのか」と思わずにはいられない。そして、「できるようになる」よろこびを自分のことのように味わう。私自身が乳幼児だったころに感じたであろう「できるようになる」よろこびは、当然のことながら記憶には残っていない。したがって、そのよろこびをはじめて実感しているとも言える。わが子を通して、幼き自分に出会えた。

子どもが生まれたとき、私はぼんやりと過ごしてきた時間の多さと残された時間の少なさに気がつき、愕然とした。しかし、それはもうどうしようもないことである。それならば残っている日々を、少しでも厚いものにしたいと考えるようになった。

二十代や三十代で父になっていれば、違っていたかもしれない。いささか年をとってから父になったため、こんなふうに思うのだろう。

毎日の生活の重なりが人生になっていく。今の私の日常生活において、育児は大きな比重を占めている。とすれば、育児をする生活が、私の人生、将来の私、をつくっていることになる。

私は社会学を専門とする大学教員である。この本で、私は育児する日常生活を書いているが、そこに問題らしきことは出てこない。いや、社会問題らしきことは出てこない、と言ったほうが適切だろう。しかし、なんでもないようにみえる日常生活の中にも、たえずなにかが起こっている。私たちは日々それらに向きあい、とまどい、悩みながら、それなりに解決しては、明日に向かって歩いている。

そこで起こっていることは、ほかの人からすれば、あまりにも「普通」のことであり、取るにたらないことかもしれない。だが、当事者である私にとっては、意味のある出来事であり、事件である。そして、ごく私的なそれらのシーンには、「生活する」ということの普遍性が宿っているようにも思うのだ。日常生活はぼんやりとして退屈なものである。わずらわしいことも多い。「生活する」とはそういうことだと思う。しかしながら、ただ流れる時間に身をまかせるのではなく、意識的に周囲を見渡し、身近な人たちとの関係をよりよく維持し、自分の足元をたえず自覚するとき、日常生活の豊かさが立ちあがってくる。

一六〇万部の大ベストセラー『育児の百科』(岩波書店、一九六七年)の著者として知られる小児科医の松田道雄は、あるエッセイの中でこう書いている。

> 日常の生活を大事にし、それを意味あるものにするためには、自分の頭で考え、注意力を集中し、経験をかみしめ、たえず創造していかなければならない(『いいたいこと・いいたかったこと(松田道雄の本13)』筑摩書房、一九八〇年、一八二頁)

地道な努力が重ねられるとき、日常生活はかけがえのないものに変わりうる。

私は子どもが生まれてからの七年間、妻とともに育児に取りくんでいる。というより、育児の「真っただ中にいる」というほうが適切だろう。中にいるからこそ、いろいろと見えてくるものがある。育児とは、ただ「負担」を夫婦で分担するということではなく、いのちを育むという責任とよろこびを大いに味わうことのできる営みである——このことは、妻の妊娠がわかったときには、まだ理解していなかった。私はまだ父になっていなかった。

46歳で父になった社会学者

目次

第一章

まだ父になっていなかった

妊娠／変化／誕生／ケア

妊娠

「もしかしたら、妊娠してるかもしれない」

ある朝、妻が言った。

一瞬で眠気がふっとんだ。

私は当然のようによろこんだ。

「生まれるときは四十六歳。ずいぶん年をとったお父さんやねぇ」

「うん……」

「もっともっと仕事をがんばります」

「うん……」

「家事も今以上にしますので」

「うん……」

妻は生返事をくりかえすばかり。その表情がさえないことに気づいた私は話しかけるのをやめた。その日、妻は、あまり口をひらかなかった。

数日後、妻は総合病院の産婦人科に行くことにした。その間、私は大いにとまどっていた。

この上なくうれしい気持ちである自分と、必ずしもそうではなさそうな妻。妻がなぜよろこんでいないのか、よくわからないままでいた。

病院には私もついていった。妻は朝から不安そうな顔をしており、言葉も少なめだった。待合室で名前が呼ばれ、心細そうな表情で診察室に入っていった。五分後、同じ表情で出てきた。

「妊娠してた。今、二カ月。予定日は七月七日」

妊娠が明らかになり、妻はさらに困惑した様子をみせた。

妻は、若いときからなんとなく、けれどもある種の確信を持って、自分は結婚しないだろう、子どもを産むこともないだろうとずっと思っていたという。それが三十三歳のときに、ひょんなことから、ひとまわり年上の私と結婚した。人生において予想外のことだったらしい。そのうえに妊娠ともなると、まったく想定外のことが起こったのである。

微熱やだるさをはじめとしたからだの変化もすでに始まっており、それがさらに妻をとまどわせた。

「自分のからだが自分のものじゃなくなっていくみたい……」

何事にもまじめな妻は、うかない顔をしつつも、書店で『初めての妊娠・出産』（ベネッセコーポレーション、二〇一〇年）という本を買ってきた。ページをめくりながら、「こんなことがこれからお腹で起こるのかぁ。どうしよう。こわいよー」とつぶやいた。

妻はぽつりぽつりと言葉を続けた。

「出産にまる一日とか二日もかかったっていう話を聞くやん。私、体力ないし、もたへんかも」

「うん」

「無事に出産できたとして、子どものこと、好きになれるかなぁ。もともと子どもがそれほど好きじゃないもん」

「うん」

「扱い方もわからへん。身近に小さい子がいた経験もないし」

「うん」

「私、許容量が小さい人間やから、お母さんとしての資質に欠けてると思うねん」

「……」

「そんな私が、お母さんになれるんかなぁ……。なっていいのかなぁ……」

「お母さんになれるのか」という問いは意表を突くものだった。なんとなく、妊娠することで女性は一気に母になるかのように思いこんでいた。

妻の不安はまだ続いた。

「ようやく、仕事らしい仕事ができるようになったのに、出産と育休で仕事を中断することになるやん。復帰しても、まちがいなく子どもに手がかかって時間も取られる。また〝半人前〟に戻っちゃう」

「……」

「会社に、いつ言おう」

「……」

「誰に、なんて言おう」

「……」

妻はキャリア志向ではなかったが、いざ仕事を休むとなると、「会社員としての自分」が頭をもたげてきた。なにより、まわりに迷惑をかけてしまうことが気がかりだった。

ありとあらゆる不安が一気に押しよせていた。

私のほうはといえば、「妊娠してた」と聞いて、ただただうれしかった。それまで「お父さんになれるのか」と考えたこともなかったし、妻が妊娠したことで、自分は自然に父になるものだと思っていた。そして頭にうかんだのは「子どもが成人するときは六十六歳。少なくともそこまでは大きな病気をすることなく元気でいたいなぁ。できればその先も」ということだった。自分の年齢と健康のことだけが気がかりだったのだ。

「わが子と早く一緒にお酒を飲みたい」という言葉をよく耳にする。父親は、何事もなく、健康な二十歳の若者になったわが子を想定する。そこには、子どもが生まれるまでのことや育児のことはすっとばされている。ましてや、自分のキャリアが中断されることなど、思いうかぶことさえないだろう。私もそうだった。

二週間後、ふたたび産婦人科で診察を受けた。胎児の心拍が確認できた。妊娠ははっきりと現実のものとなった。

妻の実家に電話で報告した。「よかった。よかった」とお義父さん。「あの子もお母さんになるんやね」とお義母さん。続いて、私の実家にかけた。父は「母さんもよろこんどるじゃろ」と十年前に他界した母のことを言い、「じいちゃんに言うわ」と、耳が遠くなった百一歳の祖父に大きな声で伝えているのが、受話器を通して聞こえてきた。

「やすくんに子どもが生まれるんやって」

「えー？」

「やすくんになー、子どもがなー、生まれるんやって」

「おー」

祖父が電話口に出てきた。

「こんなうれしーことはないわ。およめさんにかわって」

妻の持った受話器から祖父の声が聞こえた。

「ありがとうございます。こんなに、うれしいことはありません。からだに、きーつけてください」

祖父との話を終えたあと、妻はポロポロと大粒の涙をこぼした。

「不安ばっかりで。赤ちゃんのこと、素直によろこんであげられなくて。こんなお母さんで、赤ちゃん、かわいそう」

まわりはよろこび一辺倒であるなか、妻は、独り不安とたたかっていた。

変化

妻のつわりは重かった。

つわりといえば、ドラマや映画での、女性が「うっ」と口をおさえて洗面台に向かい、周囲は「ひょっとして」と妊娠を疑う、あの場面を思いうかべる人が多いだろう。それはある瞬間の光景にすぎない。実際は、一日中、吐き気と倦怠感を中心とした体調不良の中にいるのである。それが毎日続くのだ。

朝、目覚めても、妻はしばらく布団の中でじっとしていた。そして、観念したように「あー、またつらい一日が始まる」と言いながら起きてきた。「食べんとあかんよね」と無理して朝食をとり、のろのろと出社のための支度をし、暗い顔で家を出た。

安定期に入っていなかったので、会社のごく一部の人にしか妊娠のことを伝えていなかった。そのため、吐き気を覚えながらも普段通りに仕事をこなさなくてはならない。

夕方、電車に乗って帰ってくる。その際、最寄り駅から自宅までの徒歩十分の距離が歩けない。駅からバスに乗り、這うようにして帰ってきた。

家にたどりつくと、玄関にへたりこんで動けない。トイレに駆けこみ、激しく嘔吐することもたびたびあった。

「しんどいよー」

「からだがもたへんよー」

血の気の引いた顔で泣いていることもあった。私は妻の背中をさすることしかできなかった。

嗅覚と味覚の変化もすさまじかった。

ご飯が炊けるにおいやお味噌汁のにおいを受けつけなくなり、冷蔵庫を開けるのさえも苦痛になった。キッチンに立てない妻に代わり、私が食事をつくるようになった。妻がその日、なにを食べられるかは、お皿を前にしてみないとわからない。そのため、「食べられるものをつくる」のは無理であり、「食べられそうなものをつくる」ことになった。しかし、それも実際どうなるかはわからない。料理にほとんど箸をつけずに、「ごめん。もう、無理。ごちそうさま」と言うこともあった。

入浴時にはシャンプーのにおいで気分が悪くなるため、無香料のものに替えた。歯みがき粉のにおいも耐えられなくなり、水で素早くみがいていた。生活の場のいたるところに、においがあることを、つわりの妻を見て知った。

眠っているあいだしか、つわりから解放されるときはない。布団に入って「やっと、一日が終わる。ハァー」と長い息を吐いた。人によっては、産み月までつわりが続くことがあると聞き、妻は「自分もそうだったらどうしよう」と絶望的な気分になっていた。出口の見えないトンネルの中にいるようだった。もともと体力のない妻は、つわりでその少ない体力も奪われ、体重も落ちた。やつれて顔はひとまわり小さくなった。

あたりまえだが、私のからだにはなんの変化も起こっていない。苦しみを負担しようにも、私はまったくの無力だった。


幸いにして二カ月後、妻はつわりのトンネルを抜けた。安定期に入ると、妻の心境にも大きな変化があった。それは傍ら（かたわら）で見ていても、よくわかった。からだとこころはつながっている。からだが消耗すると、こころも消耗する。つわりから解放されると、こころも晴れたようだった。

「何事も理性でコントロールできると思ってきたけど、自分でコントロールできることなんて、本当はあまりないんやな」

「たいていは、どうなるのかわからへん。人生は予想をはるかに超えている。それでも、進んでいくしかないんやわ」

「うん。もうここまできたら、進むしかない」

妻はきっぱりと宣言した。

子どもは意のままにならない存在である。つわりを経て、コントロールできないものを受け入れる覚悟が決まったようだった。

「つわりは予行演習みたいなもの。これからが本番」

妻は、腹をくくったのだ。

そのころから、妻のお腹がふくらみはじめた。といっても、最初は、ふたりともよくわからなかった。ある日、鏡の前に立った妻が私に声をかけた。

「あれー、お腹、ちょっとだけ、とんがってない？」

「えー、そうかな」

「もしかしたら、ふくらみはじめたんかなぁ？」

「時期的にありうるんじゃない」

「たんに食べすぎただけやったりして」

「まあ、それはそれで、いいんじゃない」

数日後には、ふくらみがほんの少し増していた。

私はふと思いたって、妻のお腹が大きくなっていく様子を写真に撮ることにした。ひと月単位で比較すると、体型の変化は明らかだった。数カ月分の写真を並べると、そのお腹の成長ぶりに感動さえした。

ロングセラーの育児書である『育育児典』（毛利子来・山田真、岩波書店、二〇〇七年）には、「お腹の子への気持ち」としてこういう文章がある。


男性にとっては、わが子がいるということは、リアルには感じにくいのではないでしょうか。なにしろ、胎児が自分のお腹のなかにいるのではない。当然、体調や体型の変化もない。ただただパートナーの変化を見せつけられるばかり。ですから、「わが子」といっても、頭のなかで、そう思いなすほかはないでしょう。（一九―二〇頁）

「見せつけられる」――まさにその通りだ。過酷なつわりや刻々と変化していくからだに、私は圧倒された。

そうこうしているうちに、胎動が始まった。最初はかすかなもので、それが胎動かどうかわからなかった。やがて小魚が泳いでいるような感覚があり、もしやこれが胎動ではないかと妻が言いはじめた。「さわってみる？」と言われて、手のひらをお腹にあてたが、なにも伝わってこなかった。その後、何回かお腹に手をあててみたが、なかなか感触は得られなかった。あるとき、かすかに「ぴく」という感触が手のひらに伝わった。今まで感じたことのないもので、とても不思議な気持ちがした。

やがてそれが「ぴくぴく」と躍動感をおび、さらには「ごろごろ」と重量感をともない、さらには「ごろん」「ごろりん」と目にも明らかな存在感を示すようになった。私は、妻のお腹に手をあて、そのなんとも言えない感触を味わった。そして、お腹の中の子どもに話しかけるようになった。

妻はといえば、脇腹から足がぬーっと出てくることや、ひっくひっくしゃっくりする胎児の感覚を「あれあれ」と言いながら楽しんでいた。女性にとって、胎動は格別な感情を呼びおこすもののようだ。

『育育児典』には、「父親になることに対する心の準備」についてこう書かれている。

> 自分の立場を妊娠の共同の当事者として据えてしまうのです。
> お腹の子のことも、折をみては彼女のお腹に手をあてて胎動を感じたり、耳をつけて心臓の音を聞いたりするとよい。そうすれば、多少とも実感できるはずです。(二〇頁)

それまで、私は妻のからだの変化をただ「見せつけられる」ばかりだったが、手のひらに伝わる胎動によって、妻とともにいのちを実感できるようになった。なによりもうれしく、幸せなことだった。

誕生

その日は妊婦健診だった。

「まだ下りてきていませんね」という医師の言葉に、妻は「本番はもう少し先か」とほっとしたらしい。病院から帰ってくると、そのころの恒例となっていた長い散歩と昼寝をして、いつも通りに過ごした。

夜の十時過ぎ、妻が言った。

「なんか、お腹がしばってくるような気がする。陣痛かな？」

「陣痛になったことないから、わかりませんねー」

「そりゃそうだ」

ふたりともまだ笑う余裕があった。

とりあえず寝ておこうと、横になる。しかし、妻は眠りにつくことができず、だんだんしばりの間隔も短くなってきて、私を起こした。

「やっぱりこれ、陣痛やと思う」

病院に電話をして様子を伝えると、「初産婦さんは時間がかかりますので、もう少し様子をみていてください」との返答。そうは言っても眠れるわけもなく、妻は不安そうに縮こまっていた。痛みの間隔がさらに短くなってきたので、もう一度、病院に電話をかけた。

「家にいたら不安ということでしたら、来ていただいてけっこうです」

「はい。落ちつかないので、もう行きます」

タクシーを呼んで病院に向かった。

初産は予定日よりも遅れることが多いと聞いていた。その日は、予定日より五日前だったこともあり、ふたりともまだこころの準備ができていなかった。


午前二時に入院。ほどなく痛みの間隔が三～四分に。妻はひと眠りすることもできず、いきなり本番に突入することになった。痛みでベッドに横になっていられなくなり、椅子の背もたれを抱えるようにして座る。タオルを握りしめながら、息を吸って、「ふぅー」と長く吐く深呼吸をくりかえす。私は妻の背中をさするくらいしかできない。

夜が明けて、看護師さんが食事を持ってきてくれた。妻はなんとかプチトマトをふたつだけ口に入れた。そのとき、妻の両親が到着した。お義母さんが「今が一番しんどいときやなぁ。赤ちゃんもがんばってるわ。もう少ししたら会えるで」と声をかけながら、妻の頭をごしごしなでた。妻の顔は涙と汗でぐちゃぐちゃになっていた。

八時ごろ、疲労のため陣痛が弱まった。妻はすでに精も根も尽きはてたという状態になっていた。顔は青白く、表情もない。助産師さんがお湯を入れたバケツを持ってきて、足をあたためながらマッサージをしてくれる。

「大丈夫ですよー。ここで一度、ゆっくりしましょう」

妻は返事もできず、こくんとうなずいた。

九時過ぎ。

顔の赤みがほんの少し戻ってきた。それとともに、また陣痛が強くなった。

「あー、うー、んー」

妻はけんめいに呼吸法を試そうとするが、痛みのあまりからだがこわばり、短い息継ぎしかできない。

十一時。

「もう限界」というところで、助産師さんが「分娩室に行きましょう」と妻をベッドに乗せて運んだ。分娩台に乗ると同時に、酸素マスクと点滴がつけられた。私はベッドの横に座り、妻の手を握った。

「もう、いきんでいいですよ」と助産師さん。

四回ほど、深呼吸といきみをくりかえす。

十一時二十五分。男児、誕生。

「生まれましたよ。かわいい男の子ですよ」と助産師さんが妻に声をかけた。妻は疲労と安堵が混然一体となったような顔をして、上を向いたまま、ふーと息を吐いていた。

生まれたばかりの赤ん坊は静かだった。疲れはてていたのだろう。三十秒くらいたってから、「ふぎゃあ。ふぎゃあ」と小さな声をあげた。

助産師さんが赤ん坊を見せてくれる。

「あ、じゅんくんだ」――妊娠四カ月の健診で、「男の子」であることが明らかになった。そこから、私は子どもの名前を考えはじめた。そして「じゅん」という名前を思いついた。妻に伝えると、即座に「いいね。みんなが呼びやすそう」と賛同してくれた。「生まれてきたとき、もし『じゅんくん』ていう顔じゃなかったら、また考えることにしよう」と私はつけ加えた。

妻は緊張がとけ、泣きじゃくっている。私も涙がとまらない。横になったまま妻がじゅんを抱く。じゅんはへ
ちょっとしがみついている。

助産師さんが身長と体重を測ってくれた。身長四九・六センチ、体重二八〇四グラム。

しばらくして、妻は病室に戻った。少し経ってから、新生児用のベビーベッドに寝かされた

じゅんも病室に運ばれてきた。ふやけてアザだらけだったじゅんは、数時間できれいになった。私はじっとしていられなくて、部屋の中を歩きまわっては、何度も何度も「いい顔してるなぁ」とじゅんを覗（のぞ）きこんだ。そして、ときおり、ぎこちなくだっこしてみては、その軽さと生命の重みを味わった。

出産後、妻は「私、よくがんばった。耐えぬいた」と言った。そして、妊娠から出産までのことを振りかえり、じゅんの一年間の記録をまとめた自家製本「じゅんくんのあゆみ」にこう書いている。

おなかに子どもを宿してから、私のからだは自分だけのものではなかった。共有されていた。じゅんくんのものであり、じゅんくんの誕生を喜びとする人たちのものだった。所有とは正反対の感覚だった。

「所有とは正反対の感覚」。その感覚を、私は持てていない。
男性は「産めない」性と言われるが、「宿せない」性と言ったほうが正しいような気がする。
女性は子を宿したときから、否応なく、自分以外の存在とともに生きていくことになる。それに遅れること約一年、男性は子どもが生まれることではじめてその存在を認めることになる。

だからといって、女性に対して「ちょっと待っていて」というのでは、あまりに申し訳ない。つわりの苦しみも出産の痛みもまぬがれている男性は、子どもが生まれた瞬間から、全力で走りださないといけない。もっとも、このことは私もあとになって気がついたことなのだが。

ケア

出産後五日間、妻は病院にいた。へとへとになったからだを休める暇もなく、母子同室で二〜三時間おきの授乳が始まった。それがうまく軌道に乗らないため、退院後の生活に不安をつのらせていた。

私のほうは、出産当日とその後の三日間仕事を休み、朝九時から夕方六時まで、病室で過ごした。五日目の土曜日はたまった仕事や用事を午前中に済ませたあと、急いで病院に向かった。生まれたばかりのじゅんがかわいくてしかたがなく、少しでも長く一緒にいたかった。病室で、私はずっと、ほとんど眠っているじゅんの顔を見ていた。

退院の日、お義父さんとお義母さんが病院に来てくれ、皆でタクシーに乗って自宅に帰った。お祝いということで昼食には赤飯を食べた。その後、お義父さんは「それじゃあ」と帰っていった。お義母さんは、この日から一カ月間、泊まりこみでじゅんと妻の世話をしてくれることになっていた。出産後、今ひとつ体調のすぐれない妻は、そのことをとても心強く思っていた。それは私も同じだった。おむつ替え、沐浴（もくよく）、粉ミルクづくりと授乳を、私も病院で一〜二回、助産師さんの指導のもとに練習したが、おたおたしてどれもうまくできなかった。

実際、本番になっても、なにひとつ満足にできなかった。沐浴では、背中を洗うために裏返すというのがなかなかできなかった。首がすわっていないので支えるのが難しく、お湯の中に落としてしまったらどうしようと緊張して余計に力が入ってしまった。粉ミルクづくりでは「ひと肌」の温度にするのが難しかった。また、哺乳瓶の吸い口をただ口にあてたらミルクを飲んでくれるわけではなく、飲みやすい角度にしてあげる必要があったのだが、そのことも最初はわからなかった。おむつ替えも、下に新しいおむつを敷くのをしょっちゅう忘れた。だっこでさえ、手をどこにあてがったら安定するのかがわからなかった。

私がなにかをするとじゅんは泣いてしまった。そのたびに、お義母さんがそれとなく手伝ってくれた。

「慣れの問題だから、そのうちできるようになるわよ」

「そうですか……」

「慣れるためにも、次もやってみたらいいわね」

「そうですね……」

という会話を毎日のようにしていた。

私は大学での仕事があるので、昼間は家にいないことが多かった。じゅんのケアといっても、帰宅してから寝るまでのほんの数時間のことだ。それに、「昼間の仕事にさしつかえるから」ということで、じゅんとは別の部屋で寝ていた。昼間と夜中は、じゅんのケアを「免除」されていたのである。そういうこともあって、子どものケアをするのは、うまくできなくても、どちらかといえば楽しいことだと思っていた。私は、じゅんが生まれたうれしさだけで毎日を過ごせていたのである。その間、妻のほうは、母のサポートがあったとはいえ、すでに、ケアの過酷さのまっただ中にいたことに、私は気づいていなかった。

一カ月後の八月初旬に、「あとはふたりでがんばって」という言葉を残して、お義母さんが帰っていった。大学は夏休みに入っていたので、私は能天気にも「家で仕事をしながら、育児をしよう」と思っていた。

翌日、はじめて妻とじゅんと三人で過ごした。そして、すぐ、「家で仕事をしながら、育児をしよう」という考えは根本的にまちがっていることに気がついた。

その日のじゅんの一日を示す。

六時三十分：おっぱい練習＋搾乳七〇cc、ミルク四〇cc、便、尿　／　九時：からだ拭き　／　十一時十五分：ミルク七〇cc　／　十二時：便　／　十二時四十分：便　／　十三時：おっぱい練習、ミルク一〇〇cc、尿　／　十七時三十分：おっぱい練習＋搾乳九〇cc、ミルク四〇cc、便、尿　／　二十時三十分：尿、沐浴　／　二十一時：ミル

ク一〇〇cc　／　深夜一時十分：おっぱい練習＋搾乳一一〇cc、尿

毎日、毎日、これが続く。というか、私はわかっていなかっただけで、このひと月もずっとそうだったのだ。

じゅんは最初のうち、母乳を直接おっぱいから飲むことができなかった。そして妻も母乳が十分に出なかった。そこで、助産師さんのアドバイスにしたがい、おっぱいを飲む練習をしてから、搾乳して冷蔵保存しておいた母乳をあたためてあたえ、たりない分を粉ミルクで補うという一連の授乳をくりかえしていたのである。当然、授乳と授乳のあいだに妻は搾乳をしなければならないのであって、休む時間、ましてやぐっすり眠る時間などなかった。極度の疲労から妻は何度か高熱を出した。しかし、授乳の時間は母親の体調とはまったく関係なく、粛々（しゅくしゅく）とやってくる。今でも妻は、産後一カ月を振りかえって、「生きているのか死んでいるのかわからなかった」と表現する。

「人間の赤ちゃんは一年の早産」と言われることがある。それくらい、生まれたときはなにもできない。すべてにおいて誰かがケアしないと生きていけない。じゅんのいのちは妻と私にかかっているのだ。そして、やらないといけないのはじゅんのケアだけではない。妻と私の分の食事の支度や洗濯や買い物など、生活のあれこれが加わってくる。

私は目が覚めた。

子どものケアや家事は、「私はこれをやるから、あなたはそれをやって」というように合理的に分けられるものではない。全体を共有し、そのうえで、状況によって私のほうがすることが多いもの、妻のほうがすることが多いもの、どちらもがするもの、というふうになっていった。とはいっても、おっぱいは妻にやってもらうしかない。そう考えると、まちがいなく、妻のほうが多くのことをしていただろう。

お義母さんが帰ってから、じゅんのケアの傍ら、私は毎日の食事づくりに精を出した。こうして後期の授業が始まる九月中旬までに、ある程度のことはできるようになった。このひと月半のおかげで、遅ればせながら、私は育児に対する心構えができたように思う。

このひと月半は私にとっての「育休」だった。乳児がいかになにもできないか。二十四時間態勢のケアがいかにハードか。それに家事も加わると、どれほどたいへんか。それらを自分のこととして理解した。

育休は、育児休暇＝「生まれた子どもとゆっくり楽しく過ごす時間」というふうに捉えられているフシがある。恥ずかしい話だが、私もじゅんが生まれるまでそう思っていた。実際は、乳児の全面的ケアに専念するための、賃金労働の一時休業である。現在、男性の育児休業取得率はわずかである（七・四八％（令和元年度）※1）。育休を取った場合でも、その半数以上は五日未満だという。取らない理由としては「仕事に支障が出る」というのが多いようだ。裏を返せば、父親が育休を取らないことで（つまりは、子どものケアに参加しないことで）、家庭において「子どもと母親へのケアに支障が出ている」という現実があるはずだ。

まだまだ多くの男性にとって、子ども（赤ちゃん）はかわいいだけの存在になっているのではないだろうか。ケアをしないと死んでしまう存在、二十四時間緊張感をもたらす存在であることを理解しないまま、子どもの誕生後もそれまでとあまり変わらない生活パターンを続けている男性は少なくない。

子どもが生まれたら、それ以前の生活パターンを続けることはとうてい不可能だ。もし「変わらない」とすれば、それは女性だけに「変えさせている」ことにほかならない。「なぜ私だけが……」と女性たちは不安や不満をつのらせていることだろう。

男性がせめてひと月でも育休を取り、子どものケア（それに加えて、産後の妻のケア）に専念すれば、「これが毎日続くんだ」という実感を持てるだろう。そうすれば、働き方や暮らし方、人とのつきあい方はずいぶん変わるはずだ。よほど鈍感な人でないかぎり、育休が終わったあとも、可能なかぎり仕事を早く切りあげて家に帰るようにするだろう。育児をしない言い訳として「仕事」を使うこともなくなるだろう。

わが子はただかわいいだけの存在ではない。なまなましいいのちとして、親に迫ってくる存在でもある。

参考資料

※1　厚生労働省ＨＰ「令和元年度雇用均等基本調査　結果の概要」

第二章

父になっていく

無理／料理／失敗／物語／遊び／ふく／洗濯

無理

自宅の徒歩圏内に一時預かり保育室があり、経験豊かな〝ばあば〟が年中無休で子どもを預かってくれる。以前は別の場所にあったようだが、じゅんが二歳半くらいのときに移転してきた。

妻はそのころ体調を大きく崩していた。

じゅんが生後九カ月になった春から、妻は職場復帰した。通常より約一時間半短い勤務だが、仕事の量はフルタイムのときとさほど変わらないようだった。さらに慣れない別の業務にも関わるようになり、「まわりに迷惑をかけたくないから」と、時間の管理を徹底して、それまで以上に集中して仕事に取りくんでいた。子どもはしょっちゅう病気になる。子どもの看病疲れで自分もすぐ病気になる。いつ欠勤するかわからない。だから、なんでも締め切りの一週間前には目途をつけておかないと……とスケジュール帳をいつもにらんでいた。

時間とのたたかいは家でも変わらない。朝は、八時にじゅんを保育園に送るため、そこから逆算して行動する。六時に起きて夕食の下準備と朝食の支度をし、六時三十分にじゅんを起こし、朝食を食べさせたあと、自分の朝食。その後、片づけ、じゅんの着替え、検温をし、最後に自分の支度、としたいのだが、じゅんは意思疎通がまだ十分にできないうえに常に動きまわるため、思うようには進まない。家を出るのはいつもぎりぎりだった。

夕方、じゅんのお迎えのあとも同様である。まだひとり遊びができないじゅんの相手を常にしながら、洗濯、お風呂、夕食の仕上げ、夕食、食器洗い、歯みがき、読み聞かせ、寝かしつけ、と進めていく。それらを夜の九時までになんとか終わらせたい。

これをやったらあれをやって、その次にあれをしてと、いかに効率よくこなすかを常に頭の中でシミュレーションしていた。一日中、緊張し、神経を張りつめていた。それは寝ているときも変わらず、じゅんが「うーん」と小さくうなっただけで、妻は目を覚ました。気が休まるときは、一瞬たりともなかった。

じゅんが二歳を過ぎたころ、たまりにたまった無理が妻のからだを侵食した。朝、私が目を覚ますと、妻は「また寝られへんかった」とか「一～二時間、うとうとしただけ」と言うようになった。とうとう、からだが音をあげたのだ。

私は、最初は、一時的なことかと思っていた。今から思えばきわめて安直な対応なのだが、安眠効果があると言われるラベンダーのポプリを枕元に置くことをすすめたり、「ぐっすり眠れる」という触れこみの敷布団パッドを買ったりした。が、気休めほどの効果もなかった。知人から紹介してもらった鍼灸院もすすめてみた。これは先生と相性がよかったので、妻は続けて通うようになった。話を聞いてもらうことでかなり気が休まるようだったが、不眠が解消することはなかった。ほかにもいろいろと試してみたが、どれもこれといった効果はなかった。状態は私が思う以上に深刻だった。

夜、休めていないので、妻はからだだけでなくこころも消耗しきっていた。

「夜になるのが怖い」

「一睡もできなくて、空が白んでくると、絶望的になる」

「もう、仕事、できない気がする」

私はなにもしてあげられなかった。

最終的に、妻は病院にかかった。薬の助けを借りて、やっと四〜五時間まとまって眠れるようになったが、薬に頼らなければいけないということにショックを受けていた。

保育室が近所に移転してきたのはそのころである。

私は仕事が終わるとすぐに帰宅するようにしていた。土日も用事を入れないようにしていたが、業務上どうしても出ないといけないときはある。そういうとき、妻はじゅんを長時間ひとりでみることに大きな負担を感じていた。かといって、土日にじゅんを保育室に預けるのはためらっていた。「月曜から金曜まで保育園でがんばっているじゅんくんを、土日も預けるなんてかわいそう」と。

子どものために親はすべての時間と労力を差しだすべき、という考えは依然として強い。でも、親のほうが無理をしてたおれてしまったら元も子もない。世間からの、そして親のこころの中にもある「子育て根性論」からは、距離を置いたほうがいい。そう考えた私は、妻に話した。

「土日でも、しんどいときは、じゅんくんを保育室に預けよう」

「無理はしない。頼れるものには頼る。それが自分のためだし、じゅんくんのためにもなると思うよ」

妻はすぐに「うん」とは言わなかったが、しばらく考えた末にぽつりと「そうしてみる」と言った。私はほっとした。

事前に三人で見学させてもらった。部屋は保育園の教室と同じくらいの広さがあり、絵本やおもちゃも充実していた。その日は四人のばあばが子どもたちをみていた。ばあばのうちひとりは保育資格を持っているとのこと。妻も自分の目で見ると安心したようだった。

じゅんの一回目の保育室行きは、私も家にいる土曜日にした。慣らし保育みたいに八時半から十一時半までの三時間の保育をお願いした。妻に連れられたじゅんは嫌がることもなく家を出て、妻が帰るときも普通にバイバイと手を振ったようだ。三時間はあっという間で、すぐにお迎えの十一時半になった。妻とふたりで迎えに行くと、ほかに数人の子どもがいるなかで、じゅんはおもちゃで遊んでいた。三人で家に帰りながら、じゅんに「どうだった？」と聞くと「たのちかった」とこたえた。それを聞いて、妻も私もさらに安心した。

二週間後にも、同じように三時間の保育をお願いした。その次は、午前九時から午後二時までの保育をお願いし、お弁当を持たせた。それもまったく問題なかった。それから月に一〜二回くらいの頻度で利用した。その後、妻の体調を心配して、大阪に住む親戚がじゅんの世話と妻の話し相手に来てくれるようになったこともあり、月に一回、九時から夕方五時まで預ける程度に落ちついた。

この月に一回の保育室利用は、妻にとって貴重な自由時間となった。いつかやろうと思っていたことを片づける。気になっていた所を掃除する。ゆっくりお茶を飲む。ひさしぶりに本をひらく。

精神科医の宮地尚子は、子育て中の親自身がケアされる必要があることを、次のような比喩によって述べている。

飛行機に乗ると、緊急対応用のビデオが流される。「酸素マスクが降りてきたら、たとえ子ども連れであっても、まず自分が落ち着いてしっかりマスクをつけて、それからお子さんにつけてあげましょう」という指示が、その中に必ず入っている。

私はそのビデオを見るたびに、「これって子育て全般にも言える」としみじみ納得し、そして考え込んでしまう。納得だけではなく考え込んでしまうのは、世の中に広まっている子育て指導が子どもに酸素マスクをつけることばかりを強調し、母親が酸素マスクを先につけたりしたら自己中心的と批判するようなものが多いからだ。それどころか、母親にも酸素マスクが必要なことが忘れられていて、母親のためのマスクなんて用意されていないようなことも多いと思うからだ。(『ははがうまれる』福音館書店、二〇一六年、七七頁)

「自己犠牲」を求められるのは常に母親だけである。その自己犠牲は美談とされがちだが、そうしてはいけない。するほうにとっても、されるほうにとっても、「犠牲」はよくない。

一方、父親は子育てにおいて、少しなにかするだけでまわりからすぐほめられる。そのことに対して、私も含めて男性は無自覚な場合が多い。

保育室の利用は、「人に頼っていいいんだ」と妻が思えるようになるきっかけをつくった。同僚に体調不良のことを伝えたり、無理しないとできないことは、最初から「できない」と言うようにした。「今、緊急事態だから酸素マスクをつけます」と宣言したのである。そのかいあってか、妻の体調は少しずつ、ほんとうに少しずつではあったが、回復していった。いつしか保育室を利用することもなくなった。

妻の体調不良は私にとって痛恨の出来事であった。それまで家事育児を相応にしてきたつもりだったが、もっとやれることはなかっただろうかと悔やむ。

今でも、妻はときおり、「じゅんくんの一番かわいいときにぜんぜん笑えなかったのが悲しい。じゅんくんに申し訳ない」と言う。私は妻に対して申し訳ない気持ちでそれを聞いている。

料理

「まんま」――じゅんがはじめて発した言葉だ。「ご飯は生きていくためになによりも大切なものだからなぁ」と私は納得した。

私も妻も仕事をしているため、平日はあらゆることが時間とのたたかいの中で行われる。とりわけ、夕食づくりは一番時間を要する家事である。それが私たちの生活の中にスムーズに組みこまれるまでには試行錯誤があった。

じゅんが離乳食のあいだは、おとなの夕食は、主に、仕事から先に帰ってくる妻がつくっていた。離乳食は、妻が週末に大鍋でおかゆと茹で野菜を大量につくり、小分けして冷凍していた。普通食に移行したとき、じゅんが食べられる柔らかく薄味のものに私たちがあわせるかたちで料理をつくるようになった。前日に翌日の夕食の献立を考えて、仕事帰りに買い物をしておく。そして夜、野菜を切るなどの下準備をしてから布団に入り、翌朝、早起きして仕上げていた。保育園から帰るとじゅんは空腹でまったなしである。ぐずる子どもをあやしながら料理をするのは至難の業だ。それでなくとも、洗濯に入浴、片づけに明日の準備と、やることはいくらでもひかえている。夕食を朝につくっておくというのが、じゅんの就寝時間を守るためにもよい方法だったのだ。

だが、その寸分の余裕もないタイムスケジュールは明らかに無理があるように思えた。そこで、私は「週の半分はつくるよ」と申し出た。つくらなくていい日ができることで生まれる、ちょっとした時間を睡眠や息抜きにあててほしいと思ったのだ。

じゅんが二歳になるくらいまでは、このスタイルで生活をまわしていた。

しかし、そのスタイルも続かなかった。

さまざまに無理を重ねた妻のからだが悲鳴をあげたのだ。自律神経のバランスを大きく崩してしまった妻は心身ともに疲弊し、今まで普通にできていたことも、持てる力をふりしぼらないとできなくなった。笑顔もなくなった。その姿はとても痛々しかった。

このままではいけない。そう考えた私は妻に提案した。

「朝は私のほうが時間的に余裕があるから、その時間で、毎日、晩ご飯をつくるよ」

「えー。いやいや、それはちょっと……」

「無理しないで。からだを守ることを考えないと」

「うん。でも……」

「だいじょうぶ、だいじょうぶ。まかせて」

「そりゃあ、もちろん、すごく助かるけど。負担が偏りすぎじゃない？」

「じゃあ、こうしよう。平日は私がつくります。その代わり、土曜日と日曜日はお願いします」

「ごめんねぇ。こんなことになってしまって」

きっかけは決してよいものではなかったが、こうして、平日の夕食づくりは私の担当ということで落ちついた。

朝、妻はじゅんを保育園に送っていき、始業直前に会社に飛びこむ。一方、私は、妻とじゅんが家を出てからの小一時間を夕食づくりの時間にあてている。料理ができたら、それらを冷蔵庫に入れて、大学に向かう。といっても、カレーや焼きそばなど簡単なメニューをはさむこともよくあるし、大学からの帰りにデパ地下で総菜を買って、家ではなかなかつくれない味を楽しむこともある。食事づくりは毎日のことなので、そうしないとまわらない。

料理評論家の小林カツ代は、デパ地下で総菜を買う女性に眉をひそめる人たちに対して、「本当に時間がなくて、それでも殺伐とした食卓にだけはしたくないと思ってる人が、時々はおそうざい売り場を利用してもいいではありませんか」と言ったという。そのことを知って、やさしくポンと肩をたたいてもらったような気がした。小林は、「毎日作るんだから。一〇〇おいしいことを目指さなくてもいいのよ。八〇おいしければいいじゃない。そうしないとやってられないわよ」とも言っている。この言葉にも大いに勇気づけられている。

平日の夕食をつくるようになってから、小林カツ代の偉大さにあらためて気がついた。彼女の思想が詰まったレシピ本が没後も売れ続けているのも当然である。できるだけ短い時間でちゃんと料理をつくって家族に食べさせたいという矛盾した思いを抱く女性たちを応援し続けた彼女のおかげで、「今」を乗りこえられた人はかなりの数いるだろう。私も、日々、「今」を乗りこえることだけを考えている。

一方で、料理をする時間は私にとってよい気分転換になっている。レシピを見ながら、材料を切る、炒める、煮る、焼く、味をつける。レシピに書いてある通りにしていくと、確実に料理が仕上がっていく。なにかができあがるのは、うれしいものだ。お皿に盛りつけたときには、ちょっとした達成感を味わう。なにより、「これが、じゅんのからだをつくっているんだ」と思うと、つくりがいを覚える。最近、私は「世の中で一番役に立つ本は、レシピ本だ」と半分冗談、半分本気で言っている。

ある週の夕食の献立を示す。

月曜日　牛丼、みそ汁、かぼちゃの煮物
火曜日　ご飯、みそ汁、煮魚（かれい）、豆腐と野菜の炒め物
水曜日　ご飯、みそ汁、じゃがいもチンジャオロース、にんじんしりしり

木曜日　焼きそば
金曜日　ご飯、みそ汁、焼き魚（鯛）、筑前煮

私がつくるのは、時間と材料費をかける「男の料理」——それはつまり『今』を乗りこえる」とは正反対のものだろう——ではなく、小林カツ代仕込みの「普通のおかず」である。気をつかっているのは、「できるだけ旬の食材を使おう」ということくらいである。旬のもののおいしさはじゅんもわかるようで、本当においしそうに食べる。

夕食について、わが家で「事件」と呼ばれているものがふたつある。

ひとつは「きのこ事件」である。じゅんが二歳半くらいのとき、「き、き、きのこ、き、き、きのこ、のこのこのこのこ、あーるいたーりしない」という歌（「きのこ」まど・みちお作詞／くらかけ昭二作曲）をよく歌っていた。ある日、夕食が終わって、三人でそのまま居間でくつろいでいたとき、じゅんはその歌を何度もくりかえして歌っていた。そうしたら急に「きのこ、たべたーい」と言いだし、ぐずりはじめた。やがて「たべたーーい」と大泣きに。こうなると、もう、どうしようもない。

妻がじゅんをあやしているあいだに、私は急いで冷蔵庫のドアを開けた。すると、幸運なこ

とに、えのきが一株あった。また幸運なことに、その日のおかずの一品であった肉じゃがの煮汁が器に少し残っていた。私は、急いでその煮汁をお鍋に入れ、火をつけた。煮立ってきたら、食べやすい長さに切ったえのきを投入し、しばらく煮込んでから、お皿に入れてじゅんにあたえた。それを一口食べたじゅんは、あんなにぐずっていたのが嘘のように、「おいしーなー」とにっこりした。食べ終わると、機嫌よくまた「き、き、きのこ、き、き、きのこ、のこのこのこのこ、あーるいたーりしない」と歌いだした。

もうひとつは「かきこきご飯事件」である。三歳になる少し前のことである。じゅんは炊き込みご飯が大好物なのだが、本格的につくろうとすると手間がかかるので、簡易版をちょくちょくつくる。それでも「おいしーなー」と言って食べてくれるのでありがたい。ある日曜日、妻がお出かけのお弁当用として炊き込みご飯をつくった。じゅんはお昼にお弁当箱いっぱいの炊き込みご飯を食べた。夕食でも、残っていた炊き込みご飯をいっぱい食べた。炊き込みご飯がなくなり、妻が「おいしかったねぇ」と話しかけると、じゅんが「かーきーこーきーごーはーん」と叫んだ。まだ食べたいという意味だ。が、もう炊き込みご飯はない。じゅんはまた「かーきーこーきーごーはーん」と言い、半泣きになっている。さすがにさっとつくれるものではない。冷蔵庫の中を見ると、昨日の夕食の冷(ひや)ご飯はあるが、炊き込みご飯がほしいという気持ちにこたえられそうなものは……ない。

そのとき、あることがひらめいた。ふりかけである。炊き込みご飯とはまったく異なるが、ご飯に味をつけるという点では共通する。冷ご飯をレンジであたためてふりかけをかけた。それをよくまぜて、「ほら、かきこきご飯だよー」とじゅんに出した。じゅんは泣きやみ、ぱくぱく、もぐもぐ食べて、満面の笑みになった。

幼児のいる食卓では、思わぬことが起こる。一瞬で機嫌が悪くなり、一瞬で機嫌がよくなる。だから、こちらも一瞬一瞬が勝負なのである。毎日、料理をするようになってから、私はとっさの判断ができるようになった。

このふたつの事件のことを妻はときどき思い出して、「あのときの機転はすばらしかった」とほめてくれる。その言葉を、毎回、ありがたく、いただくことにしている。

参考文献
阿古真理『小林カツ代と栗原はるみ――料理研究家とその時代』新潮新書、二〇一五年

失敗

じゅんが二歳のとき、友人ふたりとともに編者となって『〈オトコの育児〉の社会学——家族をめぐる喜びととまどい』(ミネルヴァ書房、二〇一六年)という本を出した。大学の「子ども社会学」や「現代社会論」といった授業で使える教科書を目指すとともに、育児する日々の中で感じたことや考えたことを問いかけたいと思って企画を立て、二年かけてつくった本である。

その本の「はしがき」に書いたことの一部を引く。

母親が担わされる子育ては、量だけでなく質も求められる。子が何かトラブルを起こすと、なによりも母親の責任が問われる。女性も外で働くようになってきた現在でもそれは変わらない。同じ親でありながらこの差は歴然としており、しばしば夫婦関係の亀裂を招くだけでなく、子どもにとって望ましくない状況につながることもある。

ただ、そんなオトコも夫婦が「いい関係」であることを願っているし、自分が変わらなければならないことにはうすうす気づいている。温度差はあるにせよ、子育てに「協力」しようとするオトコは増えつつある。ところが、長く子育てするオトコは想定されていなかったこともあり、大半のオトコは子育てについての覚悟も備えも持ち合わせていない。結果として、母親（妻）から言われるままに「お手伝い」する程度のことしかできない。それで母親の負担は若干軽減されるかもしれないが、母親が置かれている抑圧的状況は変わることがない。

この不均衡な関係を改めるには、戒めや反省だけでは十分でない。必要なのは、子育て場面で顕在化する夫婦間の溝にオトコが「気づき」「行動」することである。子育てにまつわる困難にあまりにも鈍感すぎたオトコたちを刺激しよう。オトコの変化は、「協力」にとどまらない子育てのあり方と、より伸びやかな夫婦のかたちを創出していくだろう。（一一二頁）

妻とともに子育てをするなかで、育児においては男性と女性は同じ景色を見ていないのではないか、同じ世界に生きていないのではないか、と自責の念も込めて強く感じたことが、『〈オトコの育児〉の社会学』を出すきっかけだった。

本が出たあと、いろいろな反応があった。

知人（男性）から「いい本だと思うけど……、なんか嘘っぽいな。ダメな話とか失敗談とかはないの？」と聞かれた。おそらく同じ意図で、私の育児を「立派すぎるなぁ。まねできないなぁ（笑）」と言う人もいた。何事においても平凡な私に対して、立派という言葉が使われるなんて、とびっくりした。

私は自分の育児を立派だとは露ほども思っていない。しかし、失敗談として披露すれば他人から笑いをともなった「共感」を得られそうな話は思いうかばなかった。そういうと、今度は女性から「育児はたいへんなことなのに、『失敗が思いうかばない』なんてのんきすぎる。おつれあいの苦労がうかがわれる」と言われそうだ。

実際、私はのんきで楽天的なところがあるので、「失敗が思いうかばない」というのが私だけの思いこみだといけないと思い、妻にたずねてみた。すると、「できないことはいろいろあったけど、失敗という失敗はないね」という返事をもらい、安心した。

あらゆることに不器用な私は、ほんとうにできないことばかりだった。そういう意味では、最初のうちは、毎日、失敗していたと言ってもいいかもしれない。

「ケア」でも書いたが、おむつ替えでは、替える前に下に新しいおむつを敷くのをよく忘れた。

「あー、下におむつを敷くのを忘れてた。すいませんが、ちょっと、持ってきてくれませんか」

「もー、なんで忘れるんかいな。はい」

「すいません。あわてて……」

お風呂入れも、慣れるまでたいへんだった。背中を洗うために裏返すのがこわくてなかなかできなかった。

「じゅんくん、お風呂、入れてくれる？」

「緊張するなー。うまく、できるかなー」

「緊張してんの？」

「だって、裏返すのがうまくできないしー。お湯の中に落としそうで」

「裏返すときは、手伝うから」

「すいません。お願いします」

ひとりでできるはずのことなのに、妻の手を借りていた。

ミルクに関してもしかりである。

「あー、じゅんくん、なかなか飲んでくれないなー」

「哺乳瓶の角度がよくないんちゃう」

「角度？」

「飲みやすい角度にしてあげないと」

「そうなん？」

「今まで、気にしてなかったん？」

「……」

どれもそんなに難しいことではない。というか、誰でもできる簡単なことだろう。でも最初は、悲しくなるくらいにできなかった。じゅんに泣かれることも多かった。しかし、うまくいかなくても毎日やり続けることで、だんだんとできるようになっていった。そうした経験を積みかさねていくうちに、たいていのことはできるようになった。いつの間にか、妻よりも上手にできるようになったこともあった。

私の育児は「自分はこんなこともできないのか」「こんなこともわからないのか」という率直な驚き、そしてそれができるようになっていく、わかるようになっていくことへの素直なよろこびの連続である。


失敗談なのかどうかわからないが、私の中で大きな位置を占める出来事がある。それは、じゅんが一歳二カ月のときだった。

その日は日曜日で、妻は朝から外出していて、私はひとりでじゅんの世話をしていた。午前中は一緒に遊び、十一時半くらいに昼食を食べさせたら、じゅんは十二時過ぎから昼寝をしはじめた。いつも二時間くらいは寝てくれる。子どもの昼寝時間は、親にとって束の間の休息時間だ。私は冷たい飲み物でひと息入れたいと思い、冷蔵庫のドアを開けてみたが、あいにく、それらしきものは見つからない。「近くのコンビニに飲み物を買いに行こうか」と思ったが、じゅんをひとりにするわけにはと躊躇した。けれども、これまでもじゅんが昼寝をしているときに別の部屋で仕事をすることはあったし、「ぐっすり寝ているから大丈夫だろう」と、コンビニに行くことにした。もちろん、窓は開いていないか、危ないものは近くにはないか、とじゅんが寝ている部屋の状態を十分に確かめたうえで、である。

そっと玄関ドアを開け、急いで飲み物を買って、五分後に戻ってきた。

玄関ドアに近づいたとき、家の中からじゅんの泣き声が聞こえた。

「パーパ、パーパ」

あわててドアを開けた。

「パーパー、パーパー」

玄関先でじゅんが叫んでいた。

じゅんの声は、それまで聞いたなかで一番大きなものだった。私の気配がなくなったことに気づいて目を覚まし、ハイハイしながら探したのだろう。そして、家の中のどこにもいないことがわかり、私を求めてドアに向かって叫んでいたのだろう。

真っ赤になって泣いているじゅんを見て、私はじゅんをここまで不安にさせたことをこころから反省し、申し訳ない気持ちでいっぱいになった。

「じゅんくん、ごめんね。ひとりにして、ごめんね」

だっこしてそう言うと、あんなに泣き叫んでいたじゅんはすぐに泣きやんだ。

「パーーパ」

ほっとした表情で、にっこり笑ってくれた。その顔と声は忘れられない。それからは、じゅんを不安な気持ちにさせないということが、常に私の頭の中にある。

これこそ私にとっての一番大きな失敗談である。だが、それは、知人が私に求めていたものとは質が異なるかもしれない。

男性は同性に育児の失敗談を求めがちである。一方、女性は同性に育児の苦労話を求めがちだ。男性はこぞって失敗談を披露して「自分も同じようなことがあった」と笑いあい、女性は競うように苦労話を披露して「おたがいたいへんね」となぐさめあう。一見、対照的に見えるが、つきつめれば、根は同じように思う。イクメンという言葉は定着したが、実際に夫婦で協力して家事・育児をすることはまだ多くない。ほんの少しの「手伝い」をするだけで持ちあげられる男性に対して、女性が受ける「圧力」は桁違い（けたちが）に強い。男性はひらきなおりあるいは自己弁護のために失敗談を語り、女性はあきらめから苦労話をするのではないだろうか。

私と妻は協力して家事・育児をしている。それがあたりまえのことだと思ってきたから、「立派」と言われると違和感を覚える。妻はもともと体力がなく、出産後は体調を崩している期間が長かった。そのため、ふたりで協力しないと家がまわっていかなかった。もし私が大きな失敗をしでかしたら、それはそのまま妻の大きな負担になってしまう。笑い話には決してならないのだ。

男性の失敗話／女性の苦労話ではない、育児の語られ方がもっとあっていいはずだ。

物語

わが家にはかなりの数の絵本がある。じゅんが生後六カ月くらいになったときから購入しはじめ、今ではその収納に頭を悩ませるほどだ。数えてみたら、二三八冊あった。

といっても、乳児だったじゅんがすんなり絵本になじんだわけではない。最初は読んでいるのがむなしくなるほど、まったく聞いてくれなかった。数ページをまとめてめくったり、なめたりかんだり、えっちらおっちら運んだりするだけだった。絵本は、ただの「もの」だった。

一歳半を過ぎたころ、ようやく読み聞かせらしきことができるようになった。それはストーリーのない絵本から始まった。『ゆめ にこにこ』、『やさいだいすき』、『むにゃむにゃ きゃっきゃっ』など、単純な言葉とシンプルな絵からなるイラストレーターの柳原良平の作品は、じゅんのお気に入りだった。なかでも、『かおかお どんなかお』は、何度読んだかわからない。

かお
かおにめがふたつ
はなはひとつ

くちも ひとつ
たのしい かお
かなしい かお
わらった かお
ないた かお
おこった かお
ねむった かお
たくましい かお
こまった かお
あまーい かお
からい かお
いたずらな かお
すました かお
いい かお
おしまい　さよならの かお
(『かお かお どんなかお』こぐま社、一九八八年)

柳原作品にかぎらず、このころにじゅんが好んだ絵本はごくごく単純な文章であるために、かえって、うまく読むのは難しい。私が読み聞かせをしていると、横で聞いていた妻から「棒読みやなぁ」という指摘をよく受けた。そうであっても、じゅんは私の膝の上で「うきゃうきゃ」とよく笑い、楽しんでくれた。

二歳くらいになると、図鑑に夢中になっていった。親戚のおじさんから「男の子はやっぱりこういうのが好きだろうから」と、『はたらくくるまデラックス』という図鑑をもらった。妻は「はたらくくるま」というジャンルがあることに驚いた。ここから図鑑が一大旋風を巻きおこすことになる。

図鑑は読み聞かせるというわけにはいかない。「サイレンカー」や「こうじのくるま」というページを広げ、そこに載っている写真を指さしながらクルマの種類を読みあげる。

「パトカー」

「ショベルカー」

じゅんはそのころ、少ししゃべれるようになっていたので、たどたどしく、自分でもとなえる。

「パトカ」

「ショベルカ」

その一カ月後には、写真を指さしながら高度な（？）クルマの種類を言うようになっていった。

「ゆあつショベル」

「ロードローラー」

「カーキャリアー」

「ロードスイーパー」

その後、じゅんは「乗り物」というジャンルを開拓していった。『最新しんかんせんとっきゅうデラックス115』『ぜんぶわかる のりもの ものしりずかん』といった図鑑を食い入るように見ながら、列車名を次々に覚えていった。「のぞみ」「はやぶさ」といった代表的な新幹線はもちろん、JRの特急「サンダーバード」「くろしお」、私鉄の特急「ラピート」「アーバンライナー」などである。だが、「なりたエクスプレス」だけは、発音しにくいのか、もごもごと口を動かしたあと、「むじゅかしなぁ」と言っていた。

図鑑にハマっているころは、妻が「じゅんくん、絵本、読もうか。好きなの、持ってきて」と声をかけると、いそいそと乗り物図鑑を持って妻の膝に座っていた。「ママは絵本が読みたいんだけどなぁ」と言っても、そんなことはおかまいなし。妻はしぶしぶ図鑑を広げ、

「屈折はしご車」

「アスファルトフィニッシャー」

「スーパービュー踊り子」

「指宿(いぶすき)のたまて箱」

　と読みあげた。次第に、妻も乗り物に詳しくなっていった。

　そのころから、図鑑に負けず劣らず、カードにも夢中になった。思いたって、あるとき、乗り物カードをあたえたのだが、案の定というか、じゅんはその乗り物カードにはまった。新しい乗り物の名前をすぐに覚えて、カルタみたいにして遊ぶようになった。そこからカードの一大旋風が巻きおこる。食べ物カード、動物カード、あいうえおカードなどが次々と増えていき……、最終的に、一二種類、五四〇枚ものカードを集めるにいたった。

　三歳を過ぎたころになると、図鑑やカードへの熱中は一段落した。それに代わって、ストーリーのある絵本に興味を示すようになった。

　じゅんが気に入っていたのは『ばすくん』（みゆきりか作／なかやみわ絵、小学館、二〇〇七年）という絵本である。新型バスの導入によって旧型バス（ばすくん）は都会の路線をお払い箱になり、山の路線を走ることになる。山道でタイヤが外れて使い物にならなくなると、そのままばすくんは山奥に廃棄されてしまう。ひとりぼっちで寂しくしていたのだが、台風の夜、雨風をしのぎにきたタヌキを中に入れて休ませてあげる。その冬、大雪の日にタヌキに連れられて多くの動物がやってきて、ばすくんの中で冬を越させてほしいと頼む。もちろんばすくんはそれを快く引き受ける。冬が去り春になっても、動物たちはばすくんと仲良く暮らした、という話である。

もうひとつ。『しょうぼうじどうしゃ じぷた』（渡辺茂男 作／山本忠敬 絵、福音館書店）もずいぶん気に入っていた。はたらくくるま好きは通底している。

ある町の消防署に置かれている、はしご車ののっぽくん、高圧車のぱんぷくん、救急車のいちもくさんは、三台そろって子どもたちに人気がある。その傍らには、古いジープを改良した小さな消防車じぷたが置かれているのだが、じぷたは自分はちっぽけであまり役に立たないと思っている。ある日、隣村の警察から山小屋が火事との連絡が入った。はしご車は届かない、高圧車は道が狭くて通れない、けが人はいないから救急車はまだ必要ない。じぷたの出番となり、かれの活躍で山火事にならずに済む。その日から、町の子どもたちもじぷたのことを自慢するようになった、という話である。

これは、一九六三年月刊「こどものとも」（冊子体）として発行されたあと、一九六六年「こどものとも傑作集」として単行本になった絵本である。手元にあるのは二〇一五年発行の第一四一刷のものである。

今の感覚からすれば、絵はずいぶん古いタッチであり、登場するクルマのかたちも旧式だ。話もどうといったことはない（ように思われる）。が、それは、おとなになった私の感覚であろう。絵本を見渡してみると、小さいものや弱いものが活躍し、まわりから評価されるというお話がけっこうある。小さなじゅんもじぷたに自らを重ね、その物語に胸をおどらせ、レトロな絵に引きつけられたのだろう。

東京子ども図書館の設立者であり名誉理事長でもある松岡享子は『子どもと本』（岩波新書、二〇一五年）において、こんなことを述べている。

> 子どもの本の場合、新しい本——出版されたばかりの本——を追いかける必要はまったくありません。子ども自体が〃新しい〃のです。たとえ百年前に出版された本であっても、その子が初めて出会えば、それは、その子にとって〃新しい〃本なのですから。そして、読みつがれたという点からいえば、古ければ古いほど、大勢の子どもたちのテストに耐えてきた〃つわもの〃といえるのです。（一五七頁）

子どもにとってこの世界は、はじめて出会うものばかり、知らないことばかりである。くりかえし、見たり、聞いたりすることで、世界のかけらが子どもの中でつながっていく。古い絵本は、長年、その助けをしてきたのだ。

図鑑やカードが「もの」を、絵本が「ものがたり」を表しているとすると、ものを捉える時期があったあとで、ものがたりを理解する時期に移行していったと言える。「ものがたり」を理解するためには、その前に「もの」を捉える必要がある。じゅんの図鑑・カード熱がそれを教えてくれた。

「ものがたり」を理解しはじめたころから、じゅんの世界はぐんぐんと広がった。

「もの」と「もの」の「あいだ」や「関係」は網の目のようにつながっており、この世はたくさんの「物語」に満ちている。片言しゃべりのときもおしゃべりだったじゅんは、このころから、起きているあいだはずっとしゃべっているくらいのおしゃべりになった。

子どもにとって、世界は常に新しい。子どもの驚きとよろこびは、おとなたちの見慣れた世界も新しくしてくれる。

遊び

じゅんの保育園への送り迎えは、基本的に妻がしている。妻に用事があってできないときは、私がする。

保育園には午後五時までの保育をお願いしているのだが、その時間までに門を出ることは厳守であり、そこそこのプレッシャーだ。プレッシャーに弱い私は、迎えに行くときは、時間的に余裕を持って園に着くようにしている。じゅんの帰り支度をしながら子どもたちを見ている時間が、なんともいえず楽しい。

〇～一歳児クラスのとき。子どもたちは同じ教室の中にいるだけで、それぞれがそれぞれに、お座りをしていたり、ハイハイをしていたり、ヨチヨチ歩きをしていたり。月齢による差が大きいので、一緒になにかをするのはまだ難しい。なにをしていてもただただかわいくて、眺めているだけで、幸せな気持ちになる。

一～二歳児クラスのとき。子どもたちは教室の中で走ったり、飛びはねたりしていた。見ていると、少しずつ仲良しグループらしきものができている様子がうかがえた。じゅんはといえば、どの集団にも属さず、端のほうというか、集団と集団のあいだというか、ちょっと外れたところにいることが多かった。といっても、ぽつんとひとりでいるのではなく、マイペースで好きに遊んでいる感じだった。

二～三歳児クラスのとき。それまでは建物の二階にあった教室が一階に移ったこともあり、お迎えの時間は園庭で遊んでいることが多くなった。私が園の門扉を開けると、じゅんはどこからか全速力で走ってきて、私に飛びついた。それに続いてお友だちも駆けよってきて、大きな声で呼びかけてくれた。

「じゅんくんのおとうちゃん」

「じゅんくんのとうちゃん」

「じゅんくんのパパ」

おとうちゃん、とうちゃん、パパ――自分の父親をそう呼んでいるのだろう。

ある日、お友だちのひとりが「じゅんくんのおとうちゃん、だっこして」と言ってきたのでだっこをしたら、次々に「だっこしてー」「だっこしてー」と寄ってきて、ちょっとしただっこ大会になった。別のある日、お友だちのお話しの相手をしていたら、次々に「あのねー」「あのねー」とほかの子も話しかけてきて、お話し大会になった。そういうとき、じゅんは、少し自慢げに「パパ、かしたーげる」という顔をしながら傍らで立っていた。

いっぺんに大勢の子どもに囲まれ、一緒に遊んでいると、子どもたちの熱気にあてられ、クラクラになる。子どもはエネルギーの塊(かたまり)だ。

そんなこんなのあと、みんなとバイバイタッチをして、園を出る。電動アシスト自転車のチャイルドシートにじゅんを座らせ、ペダルをこぎはじめる。すると、お友だちからパパを返してもらったじゅんは必ずこう言った。

「パパ、おうちかえったら、あそんだーげる」

その言葉を聞くと、思わず頬(ほお)が緩(ゆる)んでしまう。

「ありがとー」

そうこたえると、じゅんはうれしそうに同じ言葉をくりかえした。

「パパ、あそんだーげる」

しかし、いざ帰宅すると、そういうわけにもいかない。じゅんと遊びたいのはやまやまなのだが、やらないといけないことが山のようにある。保育園で着替えた服やパンツの洗濯、お風呂の準備と入浴、朝につくっておいた夕食の仕上げと食事……。私としては、それらを先に終わらせ、そのあとにゆっくり遊ぶようにしたい。が、じゅんはそこまで待ってくれない。とりあえず汚れ物の下洗いを済ませ洗濯機をまわすと、三十分くらい、ミニカーを走らせたり、ブロックをつなげたりしてじゅんと一緒に遊ぶ。その後、まだまだ遊びたいと思っているじゅんを、用事を終えて帰宅した妻がなだめすかしてお風呂に誘導し、一緒に入る。お風呂の中でもじゅんはお風呂用のおもちゃを使って遊び続ける。

じゅんがお風呂から出たら、妻が手早くタオルでじゅんのからだを拭き、保湿液をぬり、服を着せる。その間に、私は急いで入浴を済ませる。浴室をさっと洗い、二回目の洗濯機をまわしたら、みんなで夕食を食べる。食事が済むともう七時半になっている。そこから食器洗い、洗濯物干し、明日の準備と、じゅんの相手をしながら進めていく。

寝支度に入るまでの三十分は、朝からずっと遊んでいたじゅんにとって一日の最後の遊び時間である。それまでにも増して、じゅんは全力で遊ぶ。ミニカーを片っ端から並べたり、絵本やカードを床に並べたり、おままごとセットで料理をしたり、その日その瞬間に思いついた遊びをするじゅんにつきあった。

一緒に遊んでいるとき、じゅんは決してこちらのペースにはあわせてくれない。主導権は常にじゅんの側にある。私がなにかほかのことを考えていたら、じゅんは必ずそれを察知して、強い口調で「いっしょにっ」と言ってくる。全身全霊で遊ぶじゅんに、全身全霊でこたえないと、満足しなかった。

そのころの遊びは、ルールのあるものではない。いわば、決まったかたちのない遊びである。というか、遊びにかたちがあると思うところが、おとなの限界なのかもしれない。子どもと一緒に遊んでいると、「かたちからはみだす」感覚を味わう。そうなると、頭の中は混乱状態になるはずなのに、なにかしらすっきりした気持ちになるから不思議だ。じゅんに遊んでもらうことで、こころとからだが整えられる気がした。

「子どもの遊び」の重要性はよく語られている。しかし、「子どもとの遊び」はあまり注目されることがない。「子どもに遊んでもらう」ことは、もっと重要視されてもいいのではないだろうか。私は夢中になって遊ぶじゅんの姿から、遊びが人間の本質であることを教わった。

ところで、あるときまで私は、じゅんは「あそびたい」と言うつもりが、まだそう言えなくて「あそんだーげる」と言っているんだろうなと思っていた。それがまたかわいく思えた。ある意味で婉曲的な「あそんだーげる」という言葉を発するじゅんの慎み深さも感じていた。

しかし、ある日、ふとした瞬間に、「あそんだーげる」はかなり控えめな「もっと遊んで」というじゅんのメッセージではないのかと思いいたった。家事など放っておいてもっと遊んで、と。

私も妻も、可能なかぎり、じゅんと一緒に遊ぼうとしてきた。やらないといけない家事は最短時間で終わらせようとしてきた。持って帰ってきた仕事はじゅんが寝てからやることにしていた。じゅんと遊ぶことを最優先に考え、実行してきたつもりだった。それでも、じゅんは私たちともっと一緒に遊びたいのだ。「もっと」というより、「ずっと」一緒に遊びたいのだ。それに気がついたとき、じゅんに対して申し訳ない気持ちになった。

同じことは妻も感じていたようである。

「じゅんくん、すねたときに、『あしたも、あしたも、あしたも、あそんだーげへんもん』て言うやん。あれ聞くと、なんかこう胸のあたりがキューンと痛くなるねん」

と、ある日、妻が言った。

「それはまた、なんで？」

「だってさ、『あそんだーげへん』ていうのは、じゅんくんにとって最大限の抵抗なわけでしょ。そんだけ、遊ぶっていうことがじゅんくんにとって最上のこと？ っていうか、全部ってことやん」

「なるほどねぇ」

「ああ、じゅんくんにとってこんな大事な遊びを私はしてあげられてないな。ごめんね、じゅんくん、ていう気持ちになるねん」

じゅんが遊びに向ける真剣さを、おとなの私はなにかに対して持っているだろうか。私が仕事と称して時間を割いている物事は、じゅんにとっての遊びと比べて、どれほど重要で価値があると言えるのだろうか。

「あそんだーげる」「あそんだーげへん」は、「今、いそがしいから、あとでね」と言いそうになる私を踏みとどまらせる大切な言葉だった。

ふく

七月生まれのじゅんは、最初の夏はほぼ肌着だけで過ごした。おしめをつけた上に膝までの丈の長袖肌着を着せ、ベビー布団の上に寝かせていた。生まれたばかりの赤ちゃんは寝汗をかくし、おしっこの間隔が短いので、しょっちゅうおむつを替える。股の部分が分かれていない肌着は着脱しやすく便利だった。

とはいっても、不器用な私は、まだあまり動かないじゅんに肌着を着せるのにも苦労した。布団の上に前あきの肌着を広げてセットし、そこにじゅんを寝かせる。じゅんの腕を袖に入れたら、袖口からそっと手をひいて通す。左右の袖に腕を通し終わったら、前の紐を結ぶ。たったこれだけのことなのだが、やわらかいじゅんのからだがもろい壊れ物のように感じられ、おっかなびっくりで着替えをさせていた。

そのときの肌着を長肌着ということを、あとから知った。ほかに長肌着より裾が短い短肌着、股下をスナップで留めて左右に分けられるようになっているツーウェイオールなどがあることもあとから知った。

肌着そのものについても、はじめて知ることばかりだった。まず、なんといっても、ふわふわとしていてとても軽いことに驚いた。そして、縫い代が肌にあたらないように表面に出ていることや、タグが外づけになっていることなど、ひとつひとつに驚いた。肌着はほんの小さいものなのに、その中に赤ちゃんに対してのやさしさが詰まっていた。あらためて、赤ちゃんのできたての肌はデリケートであることを実感した。

生後一カ月たつと、じゅんは足を激しくばたつかせるようになった。そこで、はだけにくいツーウェイオールを着せるようにした。秋になり、さすがに肌着だけでは寒いので、その上にカバーオールを着せはじめた。冬はさらに義母が編んでくれた毛糸のチョッキを着せた。ほとんど家の中にいたので、それで済んでいた。

たまにベビーカーで散歩するときは、ジャンプスーツを着せた。ジャンプスーツは上下がつながっていて密閉性が高く、防寒具として重宝した。

「じゅんくん、ベビーカーでお散歩に行こうか。お外は寒いから、もこもこさん、着ようね」

「ここにゴロンしてくださーい。手を通しまーす。チャックをしめまーす。足のところはパッチンしまーす。はい、できあがり。あったかそうで、いいなぁ」

じゅんに着せていたボア素材のジャンプスーツのことをわが家ではもこもこさんと呼んでいた。

春、保育園に通いはじめたころ（生後九カ月）から、シャツにズボンというセパレートの服を着せるようになった。じゅんは赤ちゃんのときのようにじっとしてはくれない。ごろんごろん転がって逃げたり、足をバタバタしたりするので、着せるのはひと苦労だった。

「じっとしてて。あーっ、まってまって」

「じゅんくーん、じゅんくーん。はい、捕まえた。だっこでもどりまーす。よいしょっと。はい、着陸。じっとしててください」

「すぐ終わるから、ちょっとがまんして。お願い」

一歳になり、お座りが安定するようになってくると、じゅんは自分で服の袖に手を通そうとしたり、ズボンに足を入れるようになった。

一歳二カ月になり、つかまり立ちができるようになると、自分で服を着ようと積極的に試みるようになった。じゅんが私の肩に両手を置き、バランスを保ちながら片足を上げる。そこに私がズボンの足を持っていって通す。じゅんは足を下ろして、今度は反対側の足を上げる。服の袖に手を通すのも、ずいぶんうまくなった。しばしば、襟ぐりから手を出すこともあったが。

二歳を過ぎるころには、自分で衣装ケースの引き出しを引っ張り、着たい服を選ぶようになった。私や妻が用意した服やズボンを嫌がることも増え、「じぶんで！」と言って選びたがった。その結果、ボーダーの服にボーダーのズボンという「よこしま」コーディネイトや、ライオンの大きなイラストの入ったTシャツにシロクマのイラストがいっぱい入ったズボンという「猛獣」コーディネイトになることもあった。

「うわぁ、すごい組みあわせやなぁ」

「案外似合っているところがまたすごい」

そんなこんなを経て、三年かかって、ほぼひとりで服の着脱ができるようになった。

その三年で、服のサイズは五〇センチから九〇センチへと変化した。


じゅんが保育園に通いはじめたころは、無地や模様だけのシンプルな服を着せていた。もちろんそれは親の趣味である。

働くクルマや動物への興味が増してきた二歳のころ、そうしたイラストの入った服が通販のカタログにたくさん掲載されているのを妻が見つけ、「じゅんくん、よろこぶかも」と少々派手なその手の服を注文してみた。届いた服をじゅんに着せると、思いのほかよく似合った。じゅんも大いによろこんだ。親はシンプルでシックなものを着せたいと思っていても、子どものほうはなんのその。イラストが入ったカラフルな服がだんぜん好きである。着替えを嫌がったときも、「ほら、ライオンさんの服、着よう。ガオーッ」と誘うと、すんなり乗ってくれるからありがたい。

それと同時に、じゅんはそれまで着ていた無地の服をものたりなく感じるようでもあった。そこで、妻は考えた——動物や乗り物のワッペンを買ってきて、それを無地の服の胸やズボンの裾につけたのだ。かくしてじゅんの服やズボンには、どこかに必ず動物や乗り物がついているようになった。じゅんは妻が新しいワッペンをつけるたびに大喜びした。

イラストやワッペンのある服を着るというのは、じゅんにとって別の意味も持つようになった。まだ片言しかしゃべれなかったじゅんは、朝、保育園に登園し先生に会うと、まず服のワッペンを指さして「んー、んー」という。先生が「あっ、きりんさんだね」とか「救急車だね」と言ってくれると、にっこりして先生のお膝に座る。恥ずかしがり屋のじゅんにとって、先生と朝の挨拶ができる道具にもなったのだ。先生だけでなくお友だちにも「んー、んー」と言って見せていた。それを見てお友だちも「んー、んー」と返事をしていた。

三歳にもなると、登園時に「おはよう」と言えるようになった。そうなっても、先生はじゅんの服にある柄について話しかけてくれた。「今日は、新幹線やね」「今日は、パンダさんやね」と。じゅんは恥ずかしそうにその柄をなでてから、お友だちのところに駆けだしていった。

生まれてからの数年間であっても、子ども服に関する思い出は尽きない。じゅんの身長が伸びていくにつれ、着られなくなった服はどんどん増えていく。処分するのはためらわれる。けれども、ずっと置いておく場所もない。

泣く泣く選別をして、じゅん自身も気に入ってとくによく着ていた思い出深いものだけを残すことにした。

まだきれいな服は、友人のお子さんに譲った。おさがりを着てもらえるのはとてもうれしい。

汚れたり、くたくたになっている服はやむなく処分する。「じゅんくんがお世話になりました」という言葉を添えて。

服は、一番近いところで、じゅんのことを守ってくれた存在である。

そういう気持ちがあるので、知人の出産祝いには子ども服を贈ることにしている。生まれてすぐに着るものではなく、一～二年後に着られるものを贈っている。「赤ちゃんの服はすぐに着られなくなるけど、八〇センチや九〇センチの服はわりと長く着られるので役に立つはず」と妻は言う。

まだ見ていないお子さんの顔を想像しながら、加えて、ギフトボックスを開けたときの知人の顔も想像しながら選ぶ。子どもはどんな色・柄を着ても似合うから不思議だ。子どもの生命力のほうが勝るからだろうか。そのようなことを考えながら独特の空気感が漂う子ども服売り場を歩いていると、自然に笑みがこぼれてくる。乳児服のあまりの小ささに感嘆の声をあげながら、じゅんの小さかったときのことを思い出し、その成長にあらためて感じ入る。

私はなにかにつけお祝いをするのが好きなのだが、なかでも出産祝いが一番好きだ。赤ちゃんがこれから歩む人生には悲喜こもごもいろいろ待ち受けているだろうが、「この世に生まれてきた」ということは、なによりもことほぐべきことであろう。そのお祝いをさせてもらうのは、「福」のおすそ分けをいただくようでもあり、ほんとうにうれしい。

私たちもじゅんが生まれたときに八〇〜九〇センチの服をいただいた。「一〜二年たったら、こんなに大きな服を着るのか。信じられないなぁ」とふたりで話したことを覚えている。そんな服もあっという間に小さくなった。

子どもの成長は切なくなるほどに早い。

洗濯

じゅんが生まれてから、いつも洗濯をしている。

乳児のとき、下着、服、タオル、シーツなどを洗濯しながら「赤ちゃんはこんなに洗濯物が出るのか」とびっくりした。保育園に行きだしてからも、その驚きは変わらない。

夕方五時過ぎに、じゅんを連れて妻が帰宅する。脇には大きなエコバッグを抱えている。中にはじゅんの汚れ物がどっさり入っている。

Tシャツ、ズボン、布おむつとおむつカバー（おむつを卒業してからはパンツ）、手拭きタオルなどが、それぞれ四つ五つある。食事や遊びで服が汚れたときは、その都度、先生が着替えさせてくれるので、それくらいの数になる。

Tシャツとズボンは、砂がついていたら、それをはらって軽く水洗いしてから洗濯機に入れる。布おむつとおむつカバーは石鹸を使って手洗いをしてから洗濯機に入れる。

「おしっこ、いっぱいしてるな。水分補給はできてるな」

「今日はおしっこの回数が多かったんだ」

保育園でうんちをしたときは、先生が布おむつをざっと洗ってくれている。

「昨日はうんち出なかったから、今日はすっきりしたんだな」

「今日は二回もしたんだ。快調、快腸」

布おむつを洗うだけなのに、昼間の様子をいろいろ想像する。

じゅんの汚れものだけで洗濯機がいっぱいになる。

じゅんのものが入った洗濯機がまわっているあいだに、ベランダに干してある三人分の洗濯物を取りこみ、たたみ、それぞれのタンスに入れる。それだけでそこそこの時間がかかる。そうこうしていると、洗濯機がピーピーと鳴り、じゅんの分の洗濯が終わったことを教えてくれる。それらを洗濯機から出して干し、そのあとで、私と妻のものを洗濯機に入れ、洗う。その間、妻はじゅんの相手をしながら、あれこれ動きまわっている。妻が洗濯をしているときは、私がそうしている。

ベランダには、物干し竿が四本と物干しスタンドが二つある。じゅんのものを干すだけでその半分以上を使うことになる。干し方に工夫をしないと、あとから洗い終わる私と妻のものを干す場所がなくなってしまう。

夏は、夕方に干したものが翌朝には乾いている。私は朝起きるとそれを取りこみ、前日の洗濯のあとに出た汚れものを洗濯して、干す。これも夕方には乾いている。

その一方、梅雨や冬など乾きが悪い時期は、大量の洗濯物を乾かすこと自体がかなりの課題となる。乾いていようがいまいが、そんなことはおかまいなしに、夕方にはじゅんと一緒に洗濯物が帰ってくる。前のものがよく乾かないうちに次の洗濯をしないといけなくなる。それを解決するために小型の乾燥機を買ったが、梅雨の真っ最中、真冬などは、それでも間にあわないことがよくあった。そのときは、近所のコインランドリーにある大型乾燥機を目指して走ることになる。

育児が話題になるときに、洗濯はあまり取りあげられない。けっこう手間暇のかかる家事なのに。そして、毎日、毎日、黙々とくりかえしていかないといけない地味な家事である。料理ならばうまくつくることができれば、「おいしい」というご褒美の言葉がもらえる。洗濯をしてもそういう言葉はもらえない。


じゅんは三歳になったころから、洗濯物を干すのを手伝ってくれることがあった。私がベランダで洗濯物を干していると、玄関から自分の靴を持ってやってくる。

「じゅんくんも」

「手伝ってくれるの?」

「うん」

「じゃあ、お願いするね」

「パパ、みてー」

「じょうずに干せてるねー」

「もういっこ」

「じゃあ、これ、お願いします」

「はーい」

実際にはうまく干せていないので、あとで私がこっそり干しなおすのだが、そんなことはどうでもいい。じゅんが楽しそうに干しているのを見て、「何十年か先に、じゅんもまた子どもと一緒に洗濯物を干すのかなぁ」とぼんやり想像したりする。


掃除や片づけも地味なことではひけをとらない。

わが家では掃除は朝食のあとにしている。じゅんがハイハイをしていたころは、妻とふたりで分担して、ひとりが掃除機をかけ、その後にもうひとりが床ワイパーを使って仕上げていた。ただ部屋を清潔にするだけでなく、小さなものをじゅんが誤飲することがないように、「なにか落ちていないか」とかなり念入りに見ていた。最近はそこまですることはなくなり、掃除機かけと床ワイパーを一日おきでしている。

夕方五時過ぎに帰ってきてから九時に布団に入るまでのあいだ、お風呂と夕食と歯みがきの時間以外はすべてじゅんの遊び時間である。ミニカー、レゴ、積み木、カード、絵本、お絵描き……。それらのどれかに集中して遊ぶのではなく、全部で遊ぶ。その結果、朝にざっと片づけておいた畳の部屋は、またたく間に、足の踏み場もなくなる。

そんな状態の部屋を、夜の八時になったら一緒に片づけはじめる。

「じゅんくん、お片づけの時間でーす」

じゅんは知らん顔して遊び続ける。

「八時になりました。お片づけの時間でーす」

「もっとー」

「片づけないと、お布団、敷けないよ。一緒に、お片づけしよ」

「いーやや！」

「保育園で、じゅんくん、片づけ名人なんやって？　先生が言ってたよ。お家でもじょうずにできるかなぁ」

こういうやりとりをしたあと、じゅんはしぶしぶ片づけにかかる。

ミニカーやブロックやレゴ、絵本や何種類もあるカードをそれぞれのケースへしまう。これに十五分くらいかかる。片づけをしていたじゅんが、手にしたものでまた遊びだすこともよくある。

子どもがいると、部屋は常にちらかっている。いくら片づけても、すぐにまたぐちゃぐちゃになる。片づけとちらかしの追いかけっこが延々と続く。

部屋がちらかっているというのは、悪いものではない。じゅんが一日のエネルギーを使いはたした成果とも言える。でも、ちらかったところでぐちゃぐちゃに遊ぶのではなく、片づいている状態からぐちゃぐちゃになるまで、思う存分遊ばせてやりたい。だから、私は毎夜、いそいそと片づけをする。

洗濯物を干したと思ったら、すぐに次の洗濯物がたまっていく。部屋をきれいに片づけたはずなのに、もうこんなにちらかっている……。毎日、ふりだしに戻る。それを「めんどくさい」と厭う人もいるだろう。だが、私は洗濯や掃除などの地味な家事をするのが、それほど嫌いではない。なんでもない行為のくりかえしが生活に安定したリズムをもたらしてくれるように思う。

詩人の天野忠は「寸感」と題したエッセイにおいて、こういうことを述べている。

詩の中に、何でもなさ、を取り扱うことは大変むつかしい。何故なら、何でもなさは、人の関心を呼ばないし、人を「オヤ」と思わせないし、従ってホンにすれば誰も読まないからである。上下左右、勿体ない空白の中にほんの少々の活字を埋め込む作業の中に、勿体より重たい「何でもなさ」を沈めることは大変むつかしいことである。しかし世間には、（詩を読むという特殊な人の中にさえ）このことは阿呆らしい作業であると思われる。その通りであり、その通りではない。ごく僅かの、天の邪鬼的な存在があって、その何でもなさを嗜好とする向きもあるのである。その何でもなさを、まるで己れの生活という家の大黒柱のようにさえ思い込んで、丁寧大事にしている人も居ることは居るのである。（『草のそよぎ』編集工房ノア、一九九六年）

詩人の言葉へのこだわりに、私自身を重ねることはできない。けれども、「その何でもなさを、まるで己れの生活という家の大黒柱のようにさえ思い込んで、丁寧大事にしている人も居ることは居るのである」という文章は、私の気持ちを代弁してくれている。

家事には目に見える進歩や発展は少ないかもしれないが、生活のもっとも基本的な部分をかたちづくっている。それは私に、なんでもないことのくりかえしが持つ強さを教えてくれる。家族との生活は、進歩や発展とは別の次元の営みである。

第三章

生活というドラマ

病気／甘物／正月／讃歌／成功

病気

知人や友人に息子が生まれたことを報告すると、「おめでとう」という言葉に続いて「男の子はすぐ熱を出すよ」とよく言われた。男児を育てた経験のある人はかなりの割合でそう言った。一方で、「半年くらいはお母さんからもらった免疫があるから、風邪もひかないよ」とも聞いた。それらはなかば常識のようだったが、私はまったく知らなかった。

「免疫」については、本当にその通りだった。じゅんは七月生まれなので、半年後は冬になる。「この冬で生後半年になるから、風邪をひくかな」と心配していたが、妻からの免疫に守られたのか、風邪をひくことはなく、ほかの病気にかかることもなかった。元気なままで最初の冬を越すことができた。

男の子はすぐ熱を出すことを実感しはじめたのは、春になってからだった。じゅんにとってはじめての発熱は、生後九カ月経った四月下旬のことだった。

その日、保育園から「じゅんちゃん、熱が三八・二度あります」と妻の職場に電話があった。妻があわてて迎えに行くと、じゅんはからだ全体でハアハアと息をしながら、ぐったりと横になっていた。

かかりつけの小児科は休診日だったので、そのまま家に連れて帰った。帰宅後、離乳食は食べたものの機嫌はよくなく、ぐずり続けた。ぐずるじゅんをだっこするたびに、前より熱が上がっているのがわかった。夜の十時には三九・七度になっていた。だっこすると、火の玉を抱えているようだった。

「じゅんくん。熱いね。しんどいね」

じゅんは目をつぶったままだ。

「じゅんくん……」

高熱のため、じゅんはなかなか寝つけない。私や妻が代わるがわるだっこした。ようやく寝ついたと思ったらすぐに目覚めて泣く、だっこする、寝る、泣いて起きる、まただっこする、をくりかえす。熱が少し下がったのは深夜三時過ぎ。ようやくそこでじゅんは眠ったが、私も妻もいろいろ気になって、その夜はほとんど寝ていない。眠れないまま育児書の病気に関するページをひらくと、じゅんの状態があてはまる、かなりたちの悪い病名が目に入ってきた。余計に、気が気ではなくなった。救急病院に行くかどうか迷ったが、がんばってやっと眠れたじゅんはそのまま眠っていたいだろうと考え、朝まで待つことにした。

翌日の朝九時、小児科の診察が始まると同時に診てもらった。先生に「風邪ですね」と診断してもらい、少しホッとした。しかし、病気であることには変わりはなく、保育園に行かせるわけにはいかない。私は授業があるし、妻も毎日仕事を休むわけにもいかないので、神戸に住むお義母さんに応援を頼むことにした。

それから、昼間はお義母さんにじゅんを世話してもらい、夕方からは私と妻が世話をした。一日に何度も体温を測り、食事や水分補給にも気をつけ、着替えもまめにさせ、二日おきに病院に連れていき、家ではいつもそばにいる、というように全力で看病したので、二週間後に、やっと熱が下がったときには三人ともへとへとになっていた。顔がひとまわり小さくなったパジャマ姿のじゅんをだっこし、「熱が下がってよかったね。がんばったね」とお義母さんがほおずりしている写真が残っている。妻はその直後、高熱を出して倒れ、一週間熱が下がらなかった。

それからも、じゅんは毎月のように風邪をひき、毎回、三八度以上の熱を出した。授業のない日は私が看病し、授業がある日は妻が会社を休んで看病した。

九月にひいた夏風邪は長引いた。十日間くらい熱が上がったり下がったりが続いた。三七度台前半で「落ち着いてきたかな」と思っていたら、その数時間後には四〇度近くまで上がるということもあった。子どもの熱はすぐに上がるので油断できない。

じゅんにとって二回目のお正月は、三が日間ずっと風邪をひいていた。その後も風邪をひいて、少し治って、またひいて、のくりかえしで、二月なかばまですっきり治ることはなかった。その間、保育園には半分も登園できなかったように思う。このお正月から二月なかばにかけてが、ひとつの山だった。というより山脈だったと言ったほうが適当かもしれない。とくに二月の山はかなりの高さと険しさがあった。

二月四日（水）。保育園から帰ってきてから、私や妻がじゅんの横からちょっとでも離れるとすぐに半泣きに。「ちょっと様子がおかしいな」「顔がほてっているな」と気になって熱を測ったら三八・五度。二十三時には三九度台になったので、解熱の坐薬を入れる。熱が少し下がって眠ったものの、夜中、何度か起きる。

五日（木）。朝食はほんの少ししか食べず。九時に小児科に行く。インフルエンザの検査をしたが陰性。「突発性発疹だったらあさっての夜くらいに熱が下がってくるやろね。水分取って、休養させるしかないわね」と先生。熱はずっと三九度台。

六日（金）。前日よりも熱は少し下がる。といっても三八度台。三八度台の後半になったら坐薬を入れる（朝一回／夜一回）。二日間、入浴しておらずからだを搔きまくっていたので、お湯でぬらしたタオルでからだを拭いてやると気持ちよさそうにする。

七日（土）。三七度台〜三八度台前半。夕食はいつもの時間十八時三十分に用意したが食欲がなさそうだったので無理に食べさせず、食べたくなるのを待つ。二十時に少し食べた。

八日（日）。朝は三六度台だったが、昼寝のあとに熱が出てきて、夕方からは三八度台に。夕食はほとんど食べず。夜に三八度台だったので、寝やすくするために坐薬を入れる。

九日（月）。朝から機嫌が悪く、朝食はまったく食べず。九時に小児科に。先生は「抗生剤が効かなかったということはウイルス性の風邪でしょうね。特効薬はないので、水分を取って、熱が下がるのを待つしかないね」とのこと。十二時には三九・五度に。がんばって昼食を食べる。十三時には三九・七度あったので坐薬を入れる。長めの昼寝をする。夕食はわりと食べる。

十日（火）。小児科で耳を診てもらったら、中耳炎かもしれないとのことで、耳鼻科に行くことをすすめられる。耳鼻科に行くと、案の定、中耳炎とのこと。「小児科の薬で十分なので、点耳薬だけ出します」。熱は三六度台後半〜三七度台前半。食欲が出てくる。

十一日（水・祝日）。三七度台前半。昼寝をたっぷり三時間とる。食欲あり。

十二日（木）。三六度台後半。小児科へ。鼻水と咳がよく出るので、そのお薬をもらう。

十三日（金）。三六度台前半。小児科へ。鼻水吸引をしてもらうと、鼻水が次から次へと出てくる。喉の洗浄もしてもらう。耳鼻科にも行くと「中耳炎は治りかけています」。夕方にはずいぶん機嫌がよくなる。

十四日（土）。小児科へ。先生から「だいぶよくなったね」と言ってもらう。鼻水吸引は昨日より出なかった。

十五日（日）。家で休養。

十六日（月）。ひさしぶりの保育園。妻と別れるとき号泣。夕方、念のため耳鼻科と小児科へ。どちらの先生からも「治ったね」と言ってもらう。ほっとしたためか、夜、妻が三八度の発熱。

この山を越えて、じゅんのからだは強くなった。風邪をひく回数が一気に減り、ひいても長引かなくなった。治し方がうまくなったようだ。じゅん自身に免疫と体力がついてきたのだろう。

このころになって、ようやく育児書の病気に関するページを落ち着いて読めるようになった。育児書には「熱が高くても機嫌がいいときは、あまり心配いりません」とか「熱はそんなに高くなくてもぐったりしているときは、早めに病院を受診しましょう」と書かれている。熱が出たことに動揺するのではなく、「機嫌」や「顔色」をしっかりと見てとることが大事なのである。

落ち着いて育児書を読めるようになると、「個人差」という言葉がよく出てくることに気がついた。身長や体重や動作などの身体的発達に関してはもちろん、病気の状態についてもそうである。「異常」のほうに気がいきがちな親に対して、「個人差」のほうに気持ちを向けさせてくれる配慮のある記述がなされている。これは小さい子どもを持つ親にとって、とても救われる情報である。そして、子どもにおいてはその差の幅はかなり広いことを教えてくれている。それぞれの子どもに、風邪のひき方、治し方があり、親はそれにあわせて対応すればいいということに気づかせてもらった。そして、この個人差は、風邪だけではなく、子どもの成長全般に関わってくる大切な視点であることが、その後だんだんわかってくるのである。

妻の発熱が治まったあと、今度は私が熱を出した。子どもが風邪をひくと、家族を一周する。これもなかば常識のようである。

甘物

じゅんは三歳の誕生日にはじめてケーキを食べた。

保育園のお友だち、とくにきょうだいのいるお友だちは、甘いものを小さいときからそれなりに食べていたようだ。しかし、三歳の誕生日まではじゅんに甘いものをあたえないと、妻は固く決意していた。

「小さいときに、一度、甘さを覚えてしまうと、執着してしまうんやって」

「そら、そうやろね。甘いものはおいしいもん」

「だから歯みがきがきちっとできないうちは、甘いものを食べさせないのがいいと思うねん」

「なるほど。ごもっとも」

ついにその日がやってきた。

じゅんが赤ちゃんだったころに開店した小さなケーキ屋さんが近所にある。三十代とおぼしき女性がひとりで切り盛りしているお店で、素朴な味のケーキや焼き菓子を売っている。なんとなく、はじめての甘物はこのお店のものにしたいと思った。私は夕方に、ショートケーキを三つ買って帰った。

いつもより少しだけ豪華な夕食のあと、冷蔵庫からケーキを出した。妻がひとつのショートケーキに三本のろうそくを立て、それに火をつけたところで、私は部屋の電気を消した。

私と妻は、「ハッピーバースデー・トゥー・ユー」の歌詞を少し変えて歌った。

「ハッピーバースデー、じゅんくん。

ハッピーバースデー、じゅんくん。

ハッピーバースデー、ディア、じゅんくーん。

ハッピーバースデー、じゅんくーーん」

毎月ある保育園のお誕生会で歌って知っているのか、じゅんも声をあわせて一緒に歌った。

歌い終わったあと、じゅんにろうそくの火の消し方を教えようと、「こういうふうに、ふーして」と言いながら、妻がろうそくに息を吹きかけた。その途端、ろうそくの火が消えてしまった。あっけにとられる私。「あっ、ごめん。消しちゃった」――あわてた妻の声。

じゅんは私たちの様子がおもしろいのか、楽しそうにケタケタと声をあげて笑いだした。それにつられて、私も妻も笑いが止まらなくなった。

ひとしきり笑ったあと、ろうそくに火をつけなおした。もう一度、三人で「ハッピーバースデー、じゅんくん」と歌い、じゅんがふーと息を吹きかけた。たった三本のろうそくだが、じゅんの息では一回で消えなかった。二回、三回と続けてふーをして、やっと火が消えた。ろうそくの火をふき消すことが楽しくなったじゅんが、「もういっかい」とリクエストするので、結局三回も、火をつけてふーをくりかえした。最後は、ひと息で消すことができた。

それから部屋の明かりをつけ、ケーキを食べはじめた。

「はじめてのケーキ」に大喜びしたじゅんだが、ケーキそのものには少し口をつけただけであまり食べなかった。甘いものを食べ慣れてないので、甘物に対する執着があまりない様子だった。けれども、「ふー」への執着はあるようで、「また、ふーしような。また、ふーしような」とくりかえした。

「一年後、じゅんくんが四歳になったとき、またふーしようね。そのときは、ママ、もうふーしないから」

「来年は、ろうそく、四つ。ふーで全部消せるかなぁ」

「できるっ！」

誕生日は年中行事のひとつである。お正月などの伝統的な年中行事がそもそも神と人を結ぶ契機であったとすれば、子どもの誕生日のような人生の節目の年中行事は家族それぞれの存在を確認する契機である。

社会心理学者の井上忠司はこう述べている。

思えば、人はだれしもわが子をさずかってはじめて、母親であることができ、父親であることができる。つまり、親であることは、実子であれ養子であれ、わが子との関係において、はじめて成り立ちうるのである。しかしそれだけでは、かならずしも親になることはできない。家庭におけるわが子とのふだんの相互作用の過程（プロセス）で、〝親らしく〟なっていくのである。

人生の節目を祝い、感謝しあう年中行事。——それは、家庭内の人間関係のありようを、あらためて考えさせてくれる機会である。言いかえれば、発達の段階ごとに「である」から「になる」へ、間柄を結びなおす儀礼にほかならない。（『現代家庭の年中行事』講談社現代新書、一九九三年、一九八－一九九頁）

親にとって子どもの誕生日はわが子の成長を確認する日であり、また、とくに母親にとっては、自分が命懸けで子どもを産んだことを思いだす日であろう。

「誕生日がくると年をとるから嫌やなぁって思っててん。でも、誕生日って、お母さんががんばった日なんやな。もちろん、赤ちゃんも。ふたりでがんばった日なんよ」

じゅんを産んだあと、妻が語った言葉だ。

じゅんが甘いものにそれほど執着しないとはいえ、虫歯にならないように気をつけなければならないことは変わらない。

じゅんの歯みがきを始めたのは、歯がはえ始めた一歳になったころだった。じゅんの歯みがきは、私たちにとって毎日の大仕事であった。「格闘」と言っても過言ではない。

妻がじゅんをあおむけに寝かせ、頭の後ろに座って、両足をじゅんの両腕の上に置く。じゅんが手をバタバタできないように固定するのだ。私はじゅんの足を押さえる。ふたりがかりで身動きが取れないようにしてから、妻が手に持った歯ブラシをじゅんの口に持っていく。

「お口、あー、して」

なかなか口を開けてくれない。

「お口、あー、してください」

じゅんは口を開けないどころか、逆に歯を食いしばっている。

「それでは、みがけません」

根くらべである。じゅんは歯ブラシをかんだり、からだをよじらせたり、あげくのはてには逃走したりする。

そうこうしているうちに、じゅんは次第に観念して、少しだけ口を開ける。その瞬間、妻はさっと歯ブラシをじゅんの口の中に入れ、素早く奥歯をみがく。

「今度は、いー、してください」

前歯をみがけるまで、また同じことがくりかえされる。

なかなか言うことを聞いてくれないときは、「あっ、お口の中にバイキンマンがいたよ」「ドキンちゃんもいたよ」「キャーッ、じゅんくんの歯をガリガリしようとしているよ」と脅かす。バイキンマンに、どれだけ助けられたことだろう。

歯みがきをしたあとは、口をゆすぐ代わりにお水を飲ませる。

妻の努力のかいあってか、保育園での歯科健診では問題なしだった。また虫歯予防のためのフッ素塗布ではじめて歯医者さんに行ったときも、「問題ありません」と言ってもらえた。毎日の「格闘」の成果だろうか、診察台の上で口を上手に開けることができ、それを先生からほめられもした。

子どもの歯をみがくというのは、とても面倒なことである。子どもにとっては、意味もわからず、口の中に歯ブラシを入れられ、ごしごしされるのだから、嫌なのは当然である。子どもが嫌がることをするのは、親も気が進まない。

じゅんがはじめてケーキを口にした三歳の誕生日の夜、妻はいつもより念入りにじゅんの歯をみがいた。

子どもの歯を気にかける。子どもが嫌がっても歯をみがく——取るにたらない日常のひとコマだ。歯みがきにかぎらず、私たちはこのような些細なことを、日々、無数にくりかえしている。そうしていくうちに、しらずしらず、子どものあしらい方が板についてくる。私たちは劇的に親になるのではない。こまごましたルーティンの営みと小さな努力の積みかさねによって、だんだんと親になっていく。

正月

いまの私にとって、お正月とはどんなときかしら。

どうやらそれは、とめどなく流れてゆく私の暮しの中で、年に一度の折り目切れ目になっている。次から次へ、いろんな出来ごとに追い立てられ、夢中で歩きつづける私は、そこでやっと立止り、ホッと一息して、ゆっくりうしろを振り返る。（二〇頁）

これは、昭和の名女優として知られる沢村貞子のエッセイ集『私の台所』（講談社、二〇一〇年）からの一節である。この文章は、私と妻の気持ちを代弁してくれている。

私たちもお正月に「うしろを振り返る」。やはり息子のじゅんのことが中心になる。

「今年は、じゅんくん、はじめて新幹線に乗ったねぇ」

「岡山城の真ん前で、じゅんくん、うんち、きばりだしたなぁ。雲ひとつない秋晴れの空の下で」

「『おむつ替え、アンダー・ザ・スカイ』やったなぁ」

とか、

「金比羅（こんぴら）さんに行ったとき、じゅんくん、ほんとうに楽しそうやったなぁ。あの石階段を、どんどん、どんどん、先に登っていって」

「『ママ、がんばれ』って応援してくれてた」

「うちは車がないから、脚力がついたのかもしれないね」

とか、

「そういえば、じゅんくん、今年はほとんど風邪をひかなかったね」

「病院で先生から『じゅんちゃん、病気抜けしたね』って言われた。それ聞いて、そういう言い方があるんやって思った」

「なるほどねー」

とか。

そうして、必ず「一年前のお正月は、どうだったのかな。その前のお正月はどうだったのかな」と思いをはせる。

毎日つけているじゅんの記録から、じゅんが四歳になるまでの正月三が日の様子を抜きだしてみる。

○歳（生後六カ月）のお正月。

一日。六時起床。六時十五分ミルク一八〇ｃｃ。十一時ミルク二五〇ｃｃ。十二時三十分～十三時三十分ベビーカーで散歩（近所の神社に初詣）。十五時三十分ミルク二一〇ｃｃ。十六時～十七時三十分ねんね。十九時おふろ。二十時ミルク二三〇ｃｃ。二十一時～ねんね。夜中一回起きて泣く。

二日。七時起床。七時三十分ミルク二四〇ｃｃ。九時十分～十時三十分ねんね。十二時ミルク二三〇ｃｃ。十二時三十分～十四時二十分ベビーカーで散歩。十五時四十五分～十六時三十分ねんね。十七時三十分おふろ。二十時ミルク二〇五ｃｃ。二十一時ねんね。

三日。六時三十分起床。七時ミルク二一〇ｃｃ。この日から離乳食スタート。十一時に一〇倍がゆをひと匙与える。よだれをいっぱいだして舌をぺろぺろ。自分でスプーンをつかんで、おもちゃを口に入れるようにして遊んだ。十一時二十分ミルク二六〇ｃｃ。十二時二十分～十四時四十分ねんね。十四時五十分～十五時五十分ベビーカーで散歩。十六時三十分ミルク二三〇ｃｃ。十八時三十分～十九時ねんね。十九時四十分ミルク二三〇ｃｃ。二十時三十分ねんね。

一歳（一歳六カ月）のお正月。

一日。七時三十分起床。朝食におせち料理をだしたがじゅんはあまり食べなかったので、パン、ヨーグルト、ジュース、お雑煮（人参、大根、さつまいも）という奇妙な組み合わせの食事になる。十時頃に上賀茂神社に初詣に行くため家を出る。じゅんは自宅から一キロ弱くらいの距離を自分でベビーカーを押しながら歩き、その後はベビーカーに乗る。参拝を終え、バスに乗って帰宅した後、昼食、そして昼寝。昼寝のとき、少しせき込む。寒さで風邪をひいたのかもしれない。夕食をとり、おふろはやめておく。

二日。風邪気味なので、一日、家で過ごす。微熱はあるが、食事はいつも通り。おふろはやめてからだをタオルで拭くだけにする。

三日。平熱に戻る。家でゆっくりし、夕方、お風呂にいれる。二十一時に就寝。


二歳（二歳六カ月）のお正月。

一日。六時四十五分起床。朝食はおせち少しとパンとジュース。午前中、妻とじゅんはバスで北野天満宮に初詣へ（私は風邪で寝込んでいた）。午後、妻の両親と姉家族がくる。じゅんははじめはもじもじしていたが、慣れてきてからは片言でのおしゃべりをはじめ、一時間後には大きな声で歌らしきものを歌う。晩ご飯はみんなですき焼きを囲む。

二日。朝、ホテルに泊まった妻の家族と合流して、そのままバスで上賀茂神社に行く（私は寝込んだまま）。帰ってきてから、じゅんはみんなに遊んでもらう。晩ご飯のとき、上賀茂神社で買った壬生菜（みぶな）の漬物をかけたご飯をニコニコしながらほおばるじゅんを見て、みんな幸せな気分になる。

三日。妻とじゅんはバスで下鴨神社に行き、そこで妻の家族と合流する（私は寝込んだまま）。参拝の後、喫茶店で昼食。神社からの帰り道、じゅんはかなりの距離を歩く。

三歳（三歳六カ月）のお正月。

一日。七時三十分起床。起きるなり、十日くらい前からお決まりの台詞になっている「今日は、どこいく？」という。おせちも「これ、食べたい」と指さして、食べる。午前中、四十分くらい歩いて北野天満宮に向かう。

二日。妻の両親と姉家族がくる。そして、みんなで上賀茂神社に一時間かけて歩いていく。参拝して、家に帰ってきてからは義母が作ってきてくれたおせちを前にして「これ、食べたい」と指さし、食べる。じゅんがごぼうや里いもなどもおいしそうに食べることに義父母は驚く。晩ご飯はすき焼き。じゅんは「おいしーなー」と言いながら食べる。

三日。午前中は家でごろごろして過ごし、午後に私とじゅんは二時間くらい散歩する。

四歳（四歳六カ月）のお正月。

一日。七時起床。「あけましておめでとうございます」と挨拶してから、おせちを食べる。じゅんは牛肉のしぐれ煮と昆布巻を好んで食べる。十時過ぎに私と一緒に歩いて北野天満宮に向かう（妻は腰を痛めていたため、バスで向かう）。その後、平野神社、わら天神にも詣で、ぎゅうぎゅう詰めのバスに乗って帰る。

二日。上賀茂神社に歩いていく。本殿にお参りした後、厄除け大根とぜんざいを食べる。じゅんは猫舌なので厄除け大根を口の中でハフハフさせてから飲みこんでいた。

三日。私と京都水族館に行く。オオサンショウウオをはじめて見て「おっきいなー」と驚きの声をあげる。イルカショーを見て帰る。


お正月を振りかえると、じゅんが赤ちゃんから幼児になっていったことがよくわかる。〇歳の記録にあるのは、ミルクとねんねとベビーカーでの散歩だけ。そういうなか、離乳食が始まった。じゅんにとっては、これから一生続く「食べる」という行為のはじめの一歩を踏みだしたという意味で、記念すべきお正月だった。それから一年たった一歳のお正月では、私や妻とほぼ同じものを食べるようになっていた。それに加えて、ヨチヨチ歩きもできるようになり、ベビーカーを押しながらだと、さらに歩けるようになっていた。二歳ではある程度の長い距離を歩けるようになっていて、片言をしゃべるだけでなく、歌もうたえるようになった。三歳ではさらに長い距離を歩き続けられるようになっていて、好き嫌いなくなんでも食べるようになっていた。そしてなによりも、スムーズな会話ができるようになっていた。四歳になったら、三日とも外出できるくらいの体力がついていた。

毎日の生活の中でも、なにかしら昨日とは違うものを感じるが、それが積みかさなった一年となると、その変化の大きさに驚く。

子どもの誕生日は成長を実感するいい節目だろう。それに負けず劣らず、お正月も子どもの定点観測に役立つ。かつては、暦年が変わるごとに一歳年をとるという数え年という年齢の表し方もあったほどだ。

数え年の時代から今は遠い。しかし、お正月が一年の区切りであるのは今も変わらない。社会心理学者の井上忠司は年中行事を扱った本の中で、お正月をこう説明している。

> そもそも正月とは、年神（としのかみ）が来臨するのを祝う、神迎えの大切な行事であった。きちんと年神を迎えないと、その年が不幸になると信じられており、家の門口に立てられる門（かど）松（まつ）は、依代（よりしろ）として重要な意味をもっていた。一般の家庭で飾られる注連（しめ）飾りは、人間に災いをもたらす禍神（まがかみ）が、家の中に入らないようにする呪（まじな）いの意味をもっている。鏡餅も

年神様へのお供えである。ちなみに鏡餅が一般にも普及し、現代のようになったのは、家に床の間ができた室町以降のことである。年神様を饗応するための料理がおせち料理に、神にささげた供物(くもつ)のお下がりをわけたのがお年玉にと、年神を迎えるさまざまなしきたり、風習が今につながっているのが正月である。(『現代家庭の年中行事』講談社現代新書、一九九三年、二二頁)

習慣や慣行などの生活様式のことを習俗というが、習俗のうちでも変わらないもの・変わりにくいものを指してとくに民俗という。「地域社会における民間伝承」と説明されることもある。民俗とは「人々の生活文化の本質」と理解することもできよう。かつて、生活文化は地域社会と密接に結びついていた。人と地域社会とのある種の契約を意味する年中行事は、民俗の代表的なもののひとつとされてきた。

マンション住まいのわが家では、門松を立てることもないし、注連飾りもない。鏡餅を供える床の間もない。おせち料理はデパートで買ったものである。現代では、どの家庭も似たり寄ったりではないだろうか。

お正月の風景は変わった。もちろん、「新しい年を祝う」という本質的な意味は変わっていない。変わったのは「地域社会との関わりから家族の行事・イベントへ」というお正月の意味づけである。家族づくりに年中行事が活用されるようになったことにより、さまざまなコマーシャリズムとあいまって、お正月は以前とは違ったかたちで活性化しているようにも思われる。別の言い方をすれば「民俗から風俗へ」ということになるだろうか。風俗とは習俗のうちの変わりゆく・変わりつつあるもののことを言う。

それぞれの家庭でそれぞれのお正月が迎えられている。わが家のお正月も、その年その年のじゅんの成長とともに、なにかしらわが家らしいお正月風景ができあがっていっているように思う。それは子どもの定点観測のみならず、家族の定点観測にもなる。

冒頭に示した沢村貞子のエッセイは「このごろ、なんとなくお正月の値打ちが下がったような気がする。」と始まり、最後は「お正月は、老女にも小さい夢と勇気を贈ってくれる。だから私にとって、お正月の値打ちは――とても大きい。」で締められる。じゅんが生まれるまでは、私にとってもお正月の値打ちは下がっていたように思うが、じゅんが生まれてからは、その成長をあらためてよろこぶ日として、そして、家族の今を確認する日として、値打ちが上がっている。

恐れ入ります
切手を
お貼り下さい

〒 郵便はがき

〒602-0861

京都市上京区新烏丸頭町
164-3
株式会社ミシマ社京都オフィス
編集部行

フリガナ

お名前　　　　　　　　　　　　　歳

〒

ご住所

☎　　　（　　　）

ご職業

メルマガ登録ご希望の方は是非お書き下さい。

E-mail

★ご記入いただいた個人情報は、今後の出版企画の参考として以外は利用致しません。

ご購入、誠にありがとうございます。
ご感想、ご意見をお聞かせ下さい。

① この本の書名

② この本をお求めになった書店

③ この本をお知りになったきっかけ

④ ご感想をどうぞ

★お客様のお声は、新聞、雑誌広告、HPで匿名にて掲載させていただくことがございます。ご了承ください。

⑤ ミシマ社への一言

讃歌

息子の成長を毎年記録して、「じゅんくんのあゆみ」という自家製の本にしている。

二〇一三年七月生まれのじゅんの、その年の十二月三十一日までのあれこれを一冊にした「じゅんくんのあゆみ　二〇一三」のサブタイトルは、「うんちに一喜一憂からおっぱいさよならまで」である。このサブタイトル通り、私も妻も、じゅんのうんちに一喜一憂した年だった。

じゅんの最初のうんちは、生まれてきて約一時間後だった。

そのときは新生児室で処置を受けていたので、妻と私が待つ病室にはまだ来ていなかった。「今日の赤ちゃんの様子」という新生児日誌の「便」の欄に、助産師さんが＋マークをつけてくれていた。その日、じゅんはあと二回うんちをしたようだが、私が病室にいたときではなかった。

翌日から、母子同室になった。お昼前にじゅんがうんちをした。私はそのときはじめてじゅんのおむつを替えた。はじめて見たうんちは、黒くて緑がかっていて、紙おむつにほんの少しぺちょっとついていた。

「うんち、緑色やねー」

「最初は、お腹の中にいたときにとっていた栄養の残りかすがうんちになるから、こんな色なんやって」

妻が助産師さんから教えてもらったことを説明してくれた。

「知らんかったなぁ」

「知らんかったよねぇ」

「うんち、におわないねぇ」

「そういえば、そうやねぇ」

その日から「今日の赤ちゃんの様子」を妻がつけはじめた。その用紙をコピーして家に持ち帰り、退院してからもつけ続けた。それを見ると、じゅんは、毎日、だいたい三～四回、多いときは七～八回、うんちをしていたことがわかる。乳児のうんちは水分が多く軟らかいので、きばらなくても出る。

しばらくすると、水っぽいのは変わらないが、酸っぱいにおいのうんちをするようになった。色もだんだんと、黒っぽい色から黄色っぽい色に変わっていった。

じゅんが生まれてひと月経つか、経たないかのころである。

はじめて、便秘になったのだ。じゅんも不快なのだろう、機嫌が悪くなった。

「昨日から、うんち、出てない」

「赤ちゃんでも便秘になるの？」

「なるらしい。マッサージしたらいいんだって」

その日、じゅんを沐浴させたあと、妻は手のひら全体でやさしくじゅんのお腹に「の」の字を描くようにマッサージをした。

「うんち、出ろー。うんち、出ろー」

それから、じゅんの両足首を持ち、「いち、に、いち、に」と両足を交互に伸ばしたり縮めたりした。

「うんち、出ろー。うんち、出ろー」

二〜三日、日に何度かマッサージをしたが、じゅんの便秘は改善されなかった。

「じゅんくん、つらそう……。綿棒、やってみようか」

「綿棒？」

「綿棒にオイル含ませて、それをお尻の穴に入れて、刺激するの」

「へー」

「よし、やってみよう」

私は綿棒の先にサラダ油を含ませて妻に手渡し、おむつをはずした。じゅんの両足を持って上にあげる。妻が綿棒をじゅんの肛門にそっと入れ、円を描くようにゆっくりまわした。

「こんな感じかな?」

「よくわかんないけど、おそらく」

「もういいかな?」

「たぶん」

期待とともに綿棒を抜くと、ぐにゅぐにゅっと、うんちが出てきた。いったん止まって、もう一回、ぐにゅぐにゅっと出た。

「よかったー」

妻は心底ほっとした様子。じゅんもほっとしているように見えた。


はじめての綿棒刺激は八月四日のことだった。それからも、妻は毎日マッサージを続け、数日便が出ないときは、綿棒で肛門を刺激した。

「じゅんくんのあゆみ　二〇一三」の出来事欄には、「九月十六日、自力でうんちを出すことが増えた」と書いてある。それがニュースになるくらい、この間、私たちはじゅんの便秘にこころをくだいた。

十月に入ると、綿棒刺激はめっきり減った。「便」の欄に「綿棒」と最後にあるのは十月二十九日である。

「じゅんくんのあゆみ　二〇一三」の中に、妻はこんな文章を書いている。

うんち讃歌

朝にうんちが出たら
ママは一日るんるんで過ごします
午後にうんちが出たら
ママはほっとして散歩に出かけます
夜までうんちが出なかったら
ママは不安でそわそわしはじめます
じゅんくんもご機嫌ななめに見えます
「ミルク飲んだら出るかも」
出ない……

「お風呂入ったら出るかも」
出ない……
ママの胸は悲しみでどよーんとします
ママはいよいよ決意します
「よっし、綿棒刺激しよっか」
ママは腕まくりをし、じゅんくんのおしりの下にシートを敷きます
パパは綿棒の先にサラダ油をたらーんとつけます
ママはじゅんくんのおしりの前にでんと座り
パパはじゅんくんの横に寝そべります
ママは綿棒をつかみ
パパはじゅんくんの足を持ちます
「さあ、いこっか」
ママはじゅんくんの肛門に綿棒の先をいれ
くるんくるんと時計回りに回します
パパはじゅんくんの顔を見ながら応援します
「じゅんくん、がんばろうな」

パパの実況中継が始まります
「おしりに神経を集中しています」
「あっ、ぎゅっとこぶしを握った」
ぷっしゅー
おならが来たら、ママの胸は高鳴ります
「今から出しますよー」
ぶりぶり
黄色いうんちが顔を出します
かぐわしいにおいが立ちのぼり
ママはうれしくて半泣きになります
「まだ出るカンジ」
ぶりゅぶりゅ
おむつにうんちの池ができます
ママはうれしくて歌いたくなります
「もうひとふんばりします」
いくらでも来い、とママは構えます

ぷっしゅーん
うんちがママのパジャマにつきます
ハハハッ、ママは笑いたくなります
「もうほとんど出ました」
息のあった連携プレー終了
見ればじゅんくんの顔の晴れやかなこと
足をバタバタさせて喜んでいます
気持ちいいね
がんばったね
あとは寝るだけだ
外は静かで優しい夜です

うんちを讃（たた）えることになるとは、じゅんが生まれるまで、思ってもみなかった。しかし、じゅんが生まれてからは、いいうんちが出ると、なによりも安心した。

妻の「うんち讃歌」には、その年の私たち家族の姿が詰まっている。

成功

じゅんが生まれてから、うんちが体調を測るバロメーターとしてどれほど大切であるかを知った。

「じゅんくん、二〜三日、うんちしてないね」

「今日あたり、うんち、出るかなぁ。出てほしいねぇ」

とか

「じゅんくん、今日、大きなうんちをしたね」

「最近、ご飯をいっぱい食べてるから、うんちも大きくなるんやね」

とか、離乳食になったあたりから、毎日のように、妻とじゅんのうんちについての話をした。

つかまり立ちをするようになったころから、じゅんはうんちをするときに、とても切ない顔をするようになった。私も妻もその顔がたまらなく好きだった。立ったままできばりはじめると、顔がくしゃっとなり、目はたれて、口はへの字になった。そして、腰を落として少しかがむ。

「んーー。んーー」

さらにきばると、一段と顔がくしゃっとなる。

「んーー。んーー」

腰をもう一段階、落とす。

「がんばってるね」

「いいにおい、してきたよー」

私たちはうんちをきばるじゅんを応援した。

うんちをしたじゅんは、ひと仕事し終えたようなすっきりした顔になった。

紙おむつをはずして、中のうんちを見る。

「あらぁ、いいうんち！」

「いい色にいい固さ。ほれぼれするね」

真面目にそう話す。

「今日は、ころんやね」

「ちょっと固めやね。水分補給しなあかんな」

と言ったり、

「ねばねばやね」

「まあ、問題ないんちゃう」

と言ったり。

「ちょっと水っぽいなー」

「念のため、体温を測っとこか」

と言うときもあった。

たまに下痢便のときは、その色を「育児本」に載っているうんちの色と見くらべて、悪い病気の疑いがあるのかどうかの判断をした。

そういえば、赤いものが混じっていてギョッとしたこともあった。よく見ればそれは消化しきれていないトマトの皮だった。前の日にじゅんがニンジンをたくさん食べたら、翌日のうんちがニンジンの色になったということもあった。食べたものとうんちがつながっていることを今更ながら確認し、「人間はひとつの管なんだなぁ」と思ったりした。

おしっこの出たおむつは替えられるが、うんちが出たおむつは替えられない父親がいるという話を聞くことがある。そういう話を聞くと、まちがいなく自分も幼いときおむつを替えてもらったはずなのに、と思う。うんちのおむつ替えは子どもの健康状態を確認できる機会なのにもったいない、とも。

おしっこをトイレでできるようになったのは、三歳三カ月のときだ。とはいえ、あいかわらずうんちはパンツの中にしていた。それも私たちから隠れたところで。「あれ、じゅんくんがいないな」と気づいて、ふすまを開けると、こぶしをぎゅっと握りしめて立ちつくし、切ない顔をしてきばるじゅんがいた。

私も妻も、「いつかトイレでできるようになるだろう」とまったく気にしていなかった。しかし、三～四歳児クラスになってすぐにひらかれたクラス懇談会に参加した妻は、トイレでうんちができないのはクラスでふたりであり、そのもうひとりのお友だちはじゅんより月齢がかなり低い子であるということを知った。つまり、実質上、じゅんはトイレでうんちができない最後のひとりだったのだ。

「みんな、できてたんやね」

「少しはトイレトレーニングをしたほうがいいかも」

その日から、うんちをしそうになったら、じゅんをだっこしてトイレに走るようにした。しかし、そうすると、じゅんはうんちをするのをとめてしまう。そして、しばらくしてから、こっそり、パンツの中にうんちをした。「じゃあ、もっとギリギリまで待とう」となり、うんちの頭が見えてきたときに、だっこしてトイレに駆けこむようにした。が、そうなると、今度は間にあわなかった。廊下にうんちがぽとりと落ち、じゅんはすまなさそうな顔をして、大粒の涙を流した。

そうこうしているうちに、たまたま間にあって、便器にぽとりとうんちが落ちたときがあった。

「あれ？　あれれ？　ひょっとして、ぼく、トイレで、うんち、できたの？」

じゅんはそんな顔をして、きょとんとしていた。

「やったー。うんち成功！」

「じゅんくん、すごい。トイレでできたー！」

私と妻の拍手と賞賛の嵐の中、事態を理解したじゅんは満面の笑みになった。私は急いでカメラを持ってきて、誇らしげな表情のじゅんをパチリと写真におさめた。

当然のことであるが、それで「トイレトレーニング終了」とはならなかった。その後も、パンツの中にしたり、廊下に落としたりが続いた。そしてある日、「お布団うんち事件」が起こった。

深夜二時ごろだっただろうか。

「うんち……」

そういうじゅんの小さな声で目を覚ました。最初は、なにが起こったのかよくわからなかった。そのうちに、部屋中にうんちのにおいがたちこめていることがわかってきた。じゅんはうんちをしながらパンツを脱いだのだろう、布団やシーツにうんちがぽとぽと落ちていた。私と妻はじゅんを連れて風呂場に行き、お尻にこびりついたうんちを洗い流した。その間ずっと、じゅんは顔を四角にして大泣きしていた。

うんちが乾いていたところをみると、どうも、うんちをしたのは少し前のようだった。

「うんち……」と知らせるまでに、

「やってしまったなぁ……」

「どうしようかなぁ……」

「しかられるかなぁ……」

と逡巡（しゅんじゅん）していた様子だ。

トイレトレーニングへの思い入れが、じゅんをナーバスにさせていたようだ。私たちは大いに反省した。

その後も一進一退を続け、ゆっくりではあったが、徐々に、トイレでうんちができるようになっていった。連続して成功していたあるとき、外出先のコンビニのトイレでうんちができたとき、妻はたいそうよろこび「外でもできた。これでこわいものなし」と思ったそうだ。

私と妻はじゅんのうんちをずっと見てきた。トイレでうんちができるようになったというのは、これまでのじゅんとうんちの長い話のエンディングのようにも思えた。

自家製の本「じゅんくんのあゆみ」の二〇一七年版のサブタイトルは、「うんちトレーニングからこんぴら参りまで」である。うんちトレーニングが、その年のじゅんの重大ニュースであったことがわかる。

その中で、妻はこんなことを書いている。


なんといっても、うんちでした。

じゅんくんの切なさを映しだしたうんち。

母の度量の狭さを照らしだしたうんち。

便器にぽっとり落ちた、いい色のうんち。

にょろにょろの細いへびうんち。

ぽろんぽろんの小さい鹿うんち。

じゅんくんの元気のバロメーターのうんち。

そしてなにより、成長の速度は本人にしか決められないんだよ、と教えてくれたうんち。

どうもありがとう!

たかがうんち、されどうんち。
私たちにとって、じゅんのうんちの思い出は尽きない。

第四章

社会とつながりなおす

帰省／迷惑／札所／公共

帰省

私は徳島県のいなか町で生まれ、育った。高校卒業後にその町を離れ、気がつけば、県外で暮らす期間のほうがずっと長くなった。結婚するまでは帰省もあまりしなかった。その理由は自分でもよくわからない。でも、その町を出たからこそ、そして、あまり帰らなかったからこそ、かえって、その町が「ふるさと」となったように思う。

ドイツ文学者・池内紀(おさむ)の『出(しゅつ)ふるさと記』(新潮社、二〇〇八年)は、ふるさとを出て「その人」になった一二人の作家の人物伝である。作品に反映されたふるさとをめぐる紀行文にもなっている。「はじめに」には、こう書かれてある。

何よりも超えるために、そこから出ていくために人はふるさとを持たなくてはならない。ふるさとを持たないで老いるのは酷(ひど)いことだ。(八頁)

私は、ふるさとを出てからの時間で、自分をつくってきたという思いがある。そういう私も、遅い結婚、そして父になったことから、ふるさとが、近く感じられるようになってきた。ふるさとというのはなんとも不思議な存在である。そのふるさとに、最近は、頻繁に帰っている。

「(京都から)徳島へ帰省します」と言えば、「どのくらいかかりますか」と聞いてくる人が多い。おそらく、マイカーでの移動を前提にしているのだろうが、私は車の運転免許を持っていないし、妻も持っていない。マイカーで帰省できれば、ある種、「居間」の延長で移動できるのかもしれない。が、そうはいかないのである。

「ご実家で泊まって、ゆっくりされるのですね」と言ってくれる人もいる。実家は築百年を超える家なので、水まわりや冷暖房などの面で乳幼児には不便なところがある。そのこともあって、今のところ、息子とともに実家に泊まったことはない。毎回、一～二日、四～五時間ずつ滞在する。まわりが想像するものと、少し様子が違う。

そういった私たちの帰省は、徳島に向かう日の一カ月前から始まると言っていい。京都から徳島に向かうのには高速バスを利用するのだが、そのチケットの発売が乗車日の一カ月前となっているからだ。発売開始直後に電話をして、おとなふたりと子どもひとりの座席を予約する。就学前の子どもは親の膝の上に座らせると無料なのだが、京都駅前―徳島駅前間の三時間をそうすると、まちがいなく親のほうは体力を消耗してしまう。じゅんも動きをかなり制限される。子ども料金を支払って席をひとつ確保したほうが三人の疲れが少なくて済み、なにかと便利なので、そうしている。

座席もどこでもいいというものでもない。生後四カ月のじゅんを連れてはじめて帰省する際、妻とともに「どの席がいいだろう」とずいぶん検討した結果、車両の一番後ろの列のふたつとその前の列の通路側ひとつがよさそうに思えた。一番後ろの列は通路をはさんだ向こう側がトイレとなっている。その三つなら、おむつ替えやミルクやりなどのときに、ほかの乗客の目に入ることもほとんどなく、勝手がいいだろうと考えたのだ。

実際、そうだった。一番後ろの席に私か妻のどちらかが座り、じゅんを膝の上に座らせたり、隣の座席で横にしたりする。もうひとりが前の席で体力を温存しておいて、途中で交代する。

それから三カ月に一度のペースで帰省したが、じゅんは一歳半くらいになるまでは、乗車時間の半分くらいは寝ていることが多かった。「赤ちゃんを連れてのバス移動は、たいへんですね」と心配してくれる人も多かったが、実際は思ったほどではなかった。持っていった文庫本を読むくらいの余裕はあった。

ところが、じゅんが一歳半を過ぎると、状況は変わってきた。バスの中であまり寝てくれなくなったのだ。そうなるとじゅんにとってはもちろん、私と妻にとっても、三時間というのは、かなり長い時間になってくる。

そのころから、じゅんがバスの中で退屈しないように、気晴らしになるものを荷物の中に入れるようになった。ミニカー、シールブック、絵本などである。退屈しそうになると、それをひとつ出し、ふたつ出していった。

「ウーッ。ウーッ」

「あっ、リュックの中になにか入ってる。なにかなー、なにかなー。わぁ、こんなの入ってた」

「アッ」

「シールブックだ！」

「アー！」

「これで遊ぶ人？」

「アイ！」

家にあるものばかりだと遊びが長続きしないので、事前に新しいものを買っておいて、バスの中で披露することもあった。

それと同時に、それまでとは別の座席をとるようにした。最前列の、運転手さんの後ろの席ひとつと、通路を挟んだ席ふたつだ。そして運転手さんの後ろではないほうにじゅんを座らせる。そこからはフロントガラス越しに前方がよく見え、乗り物好きのじゅんは、道路を走る車を見てよろこぶ。運転手さんがハンドルを握る姿を興味深そうに見つめる。このころは、じゅんがバスの中で突然歌いだすこともあった。そういうときも、一番前の座席だとほかの乗客の迷惑になることが少なくて済んだように思う。

一カ月前にバスの座席の予約をしたあとは、宿を確保する。それからはじゅんの体調管理に気をくばる。常に気をつけていると言えばそうなのだが、帰省一週間くらい前からはその度合いがさらにぐっと増す。気になることが少しでもあったら、すぐ病院に連れていく。念のために保育園を休ませ、家で休養させたこともあった（それでも当日朝に発熱し、帰省を取りやめたこともあった）。

そして二日前までに荷づくりをする。前日だとあわててしまうからだ。妻は必要なものをリストアップして、漏れがないように細心の注意を払う。三人分の荷物を大きなバッグふたつとリュックひとつに詰める。じゅんが乳児のときは、ベビーカーも忘れてはならない。

当日は朝六時に起床し、支度をする。七時過ぎに、私はリュックを背負い、片手にバッグを持ち、もう片方の手でベビーカーを引いて、妻はバッグを持ち、じゅんをだっこして、自宅を出る。タクシーで京都駅前まで移動し、そこから八時に出発する高速バスに乗る。途中、淡路島にあるパーキングでトイレ休憩があり、そこでじゅんに外の空気を吸わせ気分転換させる。

バスが十一時に徳島駅前に着くと、すぐ近くにあるホテルのロビーでひと息入れる。おむつ替えやミルク、離乳食をここで済ませる。ターミナルにあるホテルは子ども連れにとってはオアシスだ。小一時間休んだあと、一両編成のJR列車に乗り換え、実家がある町に向かう。十二時半ごろ、最寄りの駅に到着する。駅舎は私が子どもだったころとほとんど変わらない。しかし、駅前の商店街はシャッターが降り、閑散としている。駅舎の前には、古い車に乗った父が迎えに来ている。

はじめてじゅんを連れて実家に帰ったとき、祖父は百二歳。頭はまだしっかりしていた。竹でつくった自家製の杖を両手に持って歩くこともできていた。

「めがよーみえん」「みみがよーきこえん」と言っていた祖父だが、じゅんの顔を覗きこむや否や「えーかおしとる」、じゅんの泣き声を聞くと「げんきなこえじゃなぁ」と言った。私は「じいちゃん、目、見えているのとちがう」「耳、聞こえてるのとちがう」と冗談を言いながらも、赤ちゃんの持つ力に驚いた。じゅんを抱かせると「おもいのー。げんきなこじゃなぁ。ゆーことなし」と言い、私と妻にかしこまって「えーこにそだててください」と頭を下げた。

その後の帰省でも、祖父はじゅんの顔を見た途端に顔をほころばせた。そして、ことあるごとに「えーこじゃ、えーこじゃ」と口にした。籐製の椅子に座った祖父のまわりに、私たちは座布団を敷いて座り、皆でただじゅんに視線を注ぐ。

「じいちゃん。じゅんくん、寝返りしとるよ」

「おーおー」

という会話をしたと思ったら、次の帰省では、

「じいちゃん。じゅんくん、ハイハイしとるよ」

「おーおー」

となった。その次は、じゅんはつかまり立ちを披露した。

祖父と父にとっては、三カ月ぶりに見るじゅんは、前に見たときとは大きく異なるようだ。毎日見ている私や妻でさえ、ほんの小さな変化に感動し、その姿を写真におさめる。三カ月の変化となれば、なおさらであろう。

とくになにをすることもなく過ごしたあと、夕方、父に車で徳島駅前まで送ってもらう。車の中で妻が父にじゅんのことをあれこれと話す。父はいつも楽しそうにそれを聞いている。車が徳島駅前に着くと、父と別れる。いつだったたか、父がぽつりと「祭りのあとじゃな」と言った。少しの沈黙のあと、私は「またすぐ帰ってくるけん」と返事した。

帰省はふるさとがあるからできることである。

じゅんは、私とふるさとを、ふたたび、結びつけてくれた。

迷惑

実家から徳島駅前まで父に車で送ってもらったあとは、駅前のデパートの中にあるお店で夕食をとる。じゅんが乳児だったころは「ファミリーレストラン」という名前のお店に入っていた。そこで、じゅんにはミルクを飲ませたり、ミルクを卒業してからは離乳食を食べさせていた。〝ファミリー〟とつくここならば、じゅんがぐずってもあまり迷惑にはならないだろうと思ったのである。

じゅんが一歳半くらいになり、離乳食以外のものも食べられるようになってきたときから、ほかのお店に入るようになった。いくつか試したあと、地元の魚料理を出すお店が気に入った。いつも注文する煮魚にご飯とうどんがついた定食は、じゅんも好きなのでよく食べてくれる。

そのお店でこんなことがあった。機嫌よくご飯を食べていたじゅんが、どういうわけか急にぐずりだした。

「いーやーやー」

「なにが嫌？」

「いーやーやー」

「ご飯、食べないの?」

「いーややー」

「しんどいの?」

「もー、いーややーー」

やがて、大声で泣きはじめた。

「ぎゃーー。ぎゃーーー。ぎゃーーーーー」

泣き声が店内に響きわたる。どうあやしても泣きやまない。

私たちのほかにお客さんは二組いた。一組のお客さんは六十代のご夫婦で、そのご主人が頻繁にこちらに視線を送ってくる。その目は「なんとかしろよ」と言っている。私も妻も、なんとかしたいのはやまやまだ。

ここまでの大声で泣くと迷惑であることはまちがいない。「泣きやむまで、お店の外に出てくる」と妻がじゅんを抱きあげようとしたそのとき、中年女性ふたり連れであるもう一組のお客さんのひとりが私たちのテーブルに近づいてきて、「はい、これあげる。大切にしてね」と言いながら、ピンク色の小さなクマのぬいぐるみがついたキーホルダーをじゅんに渡してくれた。じゅんはなにが起こったのかよくわからない様子できょとんとしていたが、現金なものですぐ笑顔になった。私と妻は「助かった」と思った。お礼を言おうとすると、それより先に

「いいから、いいから」と言いながら席に戻っていった。そして連れの方に「子どものことは、皆一緒だから」と言って笑っていた。わかってもらえることのありがたさをつくづく感じた。

食事のあとは、駅近くのホテルに向かう。最初は全国チェーンのビジネスホテルに泊まっていた。予約する際にベビーベッドをお願いして、部屋に入れてもらっていた。そのほかは一通りのものは揃っているので、まったく問題はなかった。

じゅんが一歳くらいになるとさすがにベビーベッドはもう狭くなる。ハイハイで自由に動きたいだろうと、和室をとることを思いついた。インターネットを使ってずいぶん探した結果、徳島駅からタクシーで数分の距離にあるホテルに和室をみつけた。そのホテルは地元で古くから営業しているところのようで、設備に少々年季が入っている様子だった。

何度目かにそこに泊まったとき、こんなことがあった。

妻が「熱がありそう」と言うので午後五時ごろに先にチェックインし、私とじゅんは徳島駅近辺で夕食をとっていた。そこに妻から電話が入り、力のない声で「熱を測ったら四〇度あった。今から救急病院に行く」とのこと。あわててホテルに向かうと、ホテルの方が「先ほど奥様を病院にお連れしました。しばらく休んでいたほうがいいとのことなので、今、病院のベッドで寝ておられます。九時くらいにお迎えに行ってきます」と説明してくれた。九時過ぎに妻が病院から帰ってきて言うには、「ホテルの総支配人の方に車で救急病院への送り迎えをしてもらった」とのことだった。私に説明してくれたのは総支配人だったのだ。

翌日の朝、妻の熱は三七度台まで下がった。しかし、今度はじゅんが急に熱を出した。

「あつぃの」

「えっ、なに？」

「あつぃのっ」

「どこが熱ぃの？」

「あつぃのー」

「熱があるの？」

「もー、あつぃのーー」

フロントに電話をして相談すると、総支配人に代わってくれて、「ご心配ですね。お部屋はご自由にお使いください。もう一泊していただいてもかまいませんし、チェックアウトをご都合のいい時間にしていただいてもかまいません」と言ってくれた。

とりあえず午前中は部屋で休ませてもらうことにした。旅行時には必ず携帯している解熱の坐薬を入れるとじゅんは少し落ちついた。妻の熱も三七度台前半だったので、ふたりが安定しているうちに神戸にある妻の実家まで移動することにした。高速バスに乗るために徳島駅前のバスターミナルに向かう際には、総支配人が自らマイクロバスを運転して送ってくれた。降りるときには「男のお子さんは熱がよく出るので、たいへんですね。奥様もおからだにお気をつけて」と声をかけてくれた。このときの親切は、心底、ありがたかった。

旅先では、想定外のことが起こる。動きは活発になったが意思疎通は十分にできない一歳～二歳ごろが、一番たいへんだったかもしれない。このころの子どもを連れて外出すると「なにかある」「まわりに迷惑をかける」のは当然なことと考え、私たちは三カ月に一度の帰省を続けた。外でなにかあっても——大なり小なり必ずなにかあるのだが——まわりの人の助けもあって、なんとか乗りきることができた。その経験の積みかさねが自信につながったように思う。そして、さっと差し伸べられる「手」のありがたさが身にしみた。

手助けしてくれる人たちは、自らの経験として、子どもという存在を理解してくれていた。もしこのように守ってくれる人たちがいなかったら、「まわりに迷惑をかけてしまう」という気持ちに負けてしまっていただろう。徳島でもらったピンク色のクマのキーホルダーを、私たちはピンクマさんと名づけ、しばらくお守りのようにじゅんのリュックにつけて、一緒に帰省していた。

じゅんが四歳になってからは、リュックふたつと子ども用リュックひとつで帰省している。じゅんも着替えとおもちゃを入れたリュックを背負ってくれるようになったので助かっている。

札所

私の生まれ育った町には、四国八十八ケ所の十一番札所・藤井寺がある。藤井寺は、住宅が多い地区を抜け、片側は山、もう片側は田畑という細い道を一キロくらい行ったところにある。

小学生のころ、藤井寺には一年に二回行っていた。春分の日と秋分の日、参道の両側に露店が並ぶにぎやかな市がたったからである。近所の友だちと自転車に乗って参道の近くまで行き、空き地に自転車を停める。たこ焼きや焼きそばのにおいが漂ってくる砂利道を小走りになりながら、「たこ焼き、食べよー」「そーしよー」と声をかけあう。

赤や黄色、橙など原色を使ったテントが所狭しと並んでいる。アニメのキャラクターが描かれた袋に入った綿菓子、ウルトラマンや仮面ライダーのお面、金魚すくい（網が紙のお店ともなかのお店があった）、型抜き、リンゴ飴、焼トウモロコシ……。カラーひよこというのもあった。

露店でものを買ったり食べたりしながら混雑した道を進む。いつもより多めに持ってきたおこづかいは、あっという間になくなる。

藤井寺に着くと、境内を奥まで進み、本堂で手をあわせる。財布の中は空っぽになっているので、お賽銭はない。その後、順番待ちまでして境内の鐘を突き、その響き方を競ったりした。

帰り道でも露店を眺めながらぶらぶらするが、もうなにも買えない。ただ見るだけである。それでも十分楽しかった。市のたつ日は、子どもながらにハレの気分を満喫した。

その藤井寺に、四十年ぶりに足を向けた。じゅんが三歳のとき、家族で帰省した際のことである。妻の「天気がいいから、お散歩でもしましょうか」との提案に、父が「じゃあ、藤井寺に行くで」とこたえ、四人で出かけたのである。

父の運転する車で藤井寺の少し手前まで行き、私が小学生のときに自転車を停めていた空き地に駐車して、そこから寺までの道を歩いた。道はきれいに舗装されている。まだ朝の九時過ぎだったが、徳島ナンバーだけではなく、関西各府県のナンバー、さらには東海や関東地方のナンバーをつけた車が次々に私たちの横を通り抜けていく。

「お義父さん、あの畑に植わっているのはなんですか？」

「あれは桑じゃなぁ。このあたりは、むかーしは、よーけ、おかいこさん、やっとったけんな。うちも、やっとったなぁ。家の中に蚕棚、あったでよ」

「ほんとですか！」

「おかいこさんは、もーどこもやってないけんど、桑はまだあるなぁ」

父にとってはあたりまえだが、都会育ちの妻にとっては初めて知る話のようだ。

二人の後ろを、私はじゅんと手をつないで歩く。そうこうしているうちに、藤井寺に着いた。

寺の山門の前には石段が何段かある。じゅんがその石段を登ろうとしたときに、後ろから声がした。

「きーつけないよ」

門のすぐ前で、お店をひらいているおばあさんの発したものである。お店といっても、掘っ建て小屋の土間に台を置き、その上に商品を並べているだけである。商品といってもわずかで、袋入りのおせんべいが二～三袋、一本の焼芋を半分くらいに切ってビニール袋に入れたものが五～六袋である。焼芋は、八十歳は超えているそのおばあさんが自らふかしたものだろう。

「こんまいのに、お参りやて、えらいな」

「段、あぶないけん、こけんときーよ」

じゅんが振りかえると、「かわいい子じゃなー」。

石段を登り、門の手前で頭を深々と下げていると、「えー子じゃな」。

ずっとじゅんをみてくれている。私は「ありがとうございます」とお礼を言って、境内に入っていった。

境内にはお遍路(へんろ)さんが二〇人くらいいた。ほとんどが車を使ったお遍路さんのようで、お寺のすぐ前に駐車場もある。中には歩き遍路とおぼしき格好をした外国人のお遍路さんも数人いた。私と妻が「お遍路さんて、こんなにいるんだ」と驚いていると、父が「大型バスが来たら、いっぺんに四〇～五〇人くらい来るでよ」と言ったので、さらに驚いた。

本堂でお賽銭を入れ、手をあわせた。横で、じゅんも手をあわせている。「じゅんくんもお願い事したんで?」と父が聞くと、にここしながらじゅんはまた手をあわせた。

お参りを終え、境内を出た。山門から石段を下りていると、あのおばあさんが、じゅんを見つけて、「お参りおわったんじゃな。かしこいなー。これあげるけんな」と言いながら、ビニール袋をひとつじゅんに手渡してくれた。焼芋である。袋には「一〇〇円」とマジックで手書きされていた。じゅんが少しびっくりしたような顔で受けとると、「また、おいでな」とおばあさん。子どもがかわいくてたまらないという様子だ。それが伝わるのか、じゅんも「ありがと」と言いながら、頭を下げる妻のまねをして、おばあさんに深々とお辞儀をした。

その様子を見ていた私に、ある記憶がよみがえった――小学生だった私は、春分の日や秋分の日以外にも、よく友だちと藤井寺に遊びにきていた。そしてこのお店で瓶ジュースを買って飲んでいた。

「おばちゃん、ジュース」

「ちょっと待ってな。栓、抜くけんな。はいどーぞ」

「なんぼ」

「六〇円やけんど、一〇円おまけして、五〇円」

「やったー。ありがとー」

「どちらいか（どういたしまして）」

毎回、おまけしてもらっていた。

目の前のこのおばあさんは、いつも、私たちに笑顔でやさしく接してくれていた、あのおばさんなのだ。四十年たって、今度は私の子どもが同じことをしてもらっている。

お店は、昔も今も利益はほとんどないだろう。利益を考えるなら、とうに店をたたんでいるはずだ。おばあさんは儲けとは違うものさしでお店に立っている。そのものさしは変わることがなく、決して古びない。

参拝する人と話をする。一日に何人かの子ども――ひとりもいないときだってあるだろう――にやさしく接する。そして、子どもからの「ありがとう」を聞いてうれしく思う。そうした日々を四十年以上積みかさねてきたのだろう。これ以上ないほど豊かな営みに思える。

じゅんが生まれてから多くの人に出会った。それは、じゅんがその人たちに出会ったということであり、同時にじゅんが私や妻をその人たちに出会わせてくれたということである。

乳幼児と一緒にいると、それまで想像もしていなかったくらい多くの人が声をかけてくれる。わずかな時間であれ、わが子のことを気にとめてくれたことをありがたく思う。たった一度、ほんの少しだけやりとりをした人にも「出会い」という言葉を使いたくなるほどに、子どもを介した人との交流は私のこころの中に確かな変化をもたらす。このおばあさんもその「出会った」ひとりである。それだけではない。おばあさんを通して、私は四十年前の自分にも出会えた。

京都へ帰るバスの中で、いただいた焼芋を三人で分けて食べた。お芋そのままの素朴な味が口の中でとけていき、やさしい後味が残った。

公共

じゅんは、一歳二カ月になるとつかまり立ちを始めた。一カ月後、つたい歩きをするようになり、そのまた一カ月後、自力で立てるようになった。そして、一歳四カ月のある夜、トットットコトコトコと、五歩、歩いた。

びっくりするやら、うれしいやら。そして、「そろそろ、靴を買ったほうがいいかもね」という話をし、その週末に妻はじゅんとともにデパートに出かけ、一二・五センチの靴を買った。

その午後、ふたりは、京都駅近くの梅小路公園に行き、妻の同僚とその子どもたちと一緒にピクニックを楽しんだ。さっそく買ったばかりの靴を履かせてみたところ、ぺたんとお尻をついたり、膝をついたりして、はだしとの感覚の違いにとまどっているようだった。だが、ベビーカーにつかまると、続けて歩くことができた。

「じゅんくん、すごいねぇ」

「よいしょ、よいしょ」

「えーっ、そこ、ぼこぼこ道だよ。大丈夫？」

「いっちにー、いっちにー、がんばってるね」

せて。

「楽しいね。どこまでも行けるね」

じゅんはベビーカーを押しながら、三十分も歩いた。全身によろこびと誇らしさをあふれさせて。

やがて、じゅんがヨチヨチ歩きができるようになると、動物園や公園などにお弁当を持って出かけることが増えた。

京都市動物園は九時から開園しているのでありがたい。じゅんは三歳になるまで、十一時台に昼食をとり、その後二時間くらい昼寝をしていた。このふたつの時間がずれると機嫌が悪くなってしまい、生活リズムも崩れてしまう。いったん生活リズムが崩れると、取り戻すのに数日かかることもある。そこで、なるべく朝早くから出かけるようにしていた。

入園するとまず、ライオン、キリン、ゴリラ、ゾウなど定番の動物を見てまわる。いつも「動物カード」で遊んでいるので、レッサーパンダやフラミンゴなどといった思わぬ動物の名前も口にする。

園内中央部には、ミニ遊園地がある。乗り物は、子供汽車、回転ボート、バッテリーカー、観覧車の四つで、すべて二〇〇円。子供汽車は遊園地の外周をかこむレールの上を汽笛を鳴らしながら二周走る。回転ボートは五つのボートが灯台のまわりをグルグルまわるだけのいたってシンプルなもの。バッテリーカーは子どもたちが好む有名なキャラクターのかたちをしている。観覧車は高さ一二メートルの小さなもので、ゴンドラには動物の絵が描かれている。

その観覧車は一九五六年製造で、現役としては日本で二番目に古いようだ。ほかの乗り物もかなり年季が入っているため、ミニ遊園地エリアはどこかノスタルジックである。じゅんはこのミニ遊園地が大のお気に入りで、必ず、すべて乗る。乗り物に乗っているじゅんはとびきりの笑顔になり、普段の何倍も饒舌になる。つきそいで乗っている私や妻にも、そのよろこびが伝染する。

園内をぐるりとまわると、だいたい十一時になっている。よく歩いたので、じゅんもお腹がペコペコだ。疎水沿いに並んだベンチでお弁当を広げる。お腹いっぱいになったところで、帰り支度となる。

京都府立植物園にもよく行く。四季折々の草花が楽しめて、散歩するだけで気持ちがいい。昼時になると、大芝生広場のまわりの木陰では、多くの親子連れがお弁当を広げている。

五月のある日曜日。三人で植物園に行くと、入り口近くの広場でミニSLが走っていた。じゅんは早くもその場にくぎづけである。ミニSLは客車を引っ張っていて、それに乗れるという。私たちは、迷わず乗った。SLは直径一〇メートルくらいの円状に敷かれたレール上を二周走る。ポーと汽笛が鳴るたびに、じゅんはケラケラと笑った。

SLが停車し、私が運転手さんに「楽しかったです」とお礼を言っていると、その横でじゅんが「もういっかい」と妻にせがんでいる。「それじゃあ」ということで、また乗ることにした。そして、さらにもう一回。合計三回乗った。

三回目の乗車が終わって「おもしろかったね」と三人で話していると、「ちょっといいでしょうか」と話しかけられた。

「テレビの取材です。今日は母の日ですが、一日どうお過ごしになりますか」

突然のことで、あたふたしながら、

「えー、今日は妻にはゆっくりしてもらいたいので、晩ご飯は私がつくるつもりです」

というようなことをしゃべった。

取材が終わったあと、妻が「晩ご飯をつくってもらってるのは、今日だけじゃないんやけどね」と笑った。

家に帰り、「採用されることはないだろうけど、一応、見ておこうか」と夕方のニュースにチャンネルをあわせると、予想に反して、私たちの姿が映し出されたのでびっくりした。ニュースのあとすぐに、同僚から「ニュース見ました。いい母の日ですね」というメールが届き、頭を掻いた。

足をのばして、奈良や滋賀に行くこともある。奈良公園では、じゅんは鹿を追ったり追われたり、芝生の丘を登ったり降りたり。転ばないかと思って見ていたが、こちらの心配をよそに、思わぬ健脚ぶりを披露してくれた。

琵琶湖畔は公園になっていて、散歩するのに格好の場所だ。大津港からは琵琶湖周遊の観光遊覧船が出ている。はじめてそれにじゅんを乗せたとき、大きすぎて乗り物であることがわからなかったらしく、最初から最後までキョトンとしていた。

こんなふうにして、月に一〜二回はどこかに出かける。その際は、車を気にすることなく、じゅんを自由に遊ばせることができる場所を選ぶ。子ども連れの親にひらかれている場所には、実際、子どもが多い。そこで遊び、お弁当を食べたあと、遅くとも午後二時くらいまでには家に帰り、昼寝をさせる。大の字になって眠るじゅんを見ながら、「じゅんくん、楽しそうやったね」と私も妻も満足する。

お出かけは楽しい——だけではない。たいへんでもある。

私も妻も運転免許を持っていない。お出かけをする場合は、電車やバスといった公共交通機関を利用する。もちろんいつも座席に座れるわけではない。いくらじゅんがヨチヨチ歩けるようになったといっても、立ったままというのはきついので、自分でしっかり歩ける二歳半くらいまではベビーカーを利用した。ところが、段差がある狭いバスや混雑した電車などではベビーカーの使用がためらわれる。私か妻のどちらかがだっこ紐を使ってじゅんをだっこし、もうひとりがたたんだベビーカーと大きな荷物を抱えて乗車していた。目的地に着くころには、すでにへとへとになっていたこともある。

ベビーカーを持っていくのに、電車やバスの中では使わずにだっこしているというのは変といえば変である。「子ども連れはまわりの迷惑にならないように気をつかうものだ」という無言の圧力を感じ、「迷惑をかけないように努力しています」というパフォーマンスをしてしまう。

動物園や公園は公共的な施設・場所である。そこでは、子どもも親ものびのびできる。一方、電車やバスといった公共交通機関の中では、子ども連れはあまり望まれる存在ではない。同じ「公共」空間であっても、子どもに対するまなざしは正反対だ。

政治学者の齋藤純一は、一般的に用いられる「公共性」という言葉を三つの意味に分類している。国家に関係する公的な（official）ものという意味、特定の誰かにではなく、すべての人びとに関係する共通のもの（common）という意味、誰に対しても開かれている（open）という意味である。齋藤はこの三つの「公共性」は互いに抗争する関係にもあるとし、「とくに関心を惹かれるのは、『共通していること』と『閉ざされていないこと』という二つの意味の間の抗争である」と述べる。

動物園や公園は、openな空間である。誰かを排除したり制限したりはせず、基本的に誰でも受け入れようとする。しかし、openな空間に向かうためには、公共交通機関を利用しなければならない。そこはcommonな空間である。commonな空間では、人びとが共有する規範――無関心を装ってその場の平穏を保つ（社会学者アーヴィング・ゴフマンのいう「儀礼的無関心」）――から逸脱する存在（子ども）は、望ましくないものとして認識される。

公共空間におけるベビーカー利用の問題は、一九八〇年代から持ちあがっていたが、解決がはかられないまま、放置されてきた。そのため、電車やバスの中ではベビーカーはたたむべきか否か、というような奇妙な論争が続いてきた。

二〇一三年に、国土交通省は「公共交通機関等におけるベビーカー利用に関する協議会」を設置し、翌二〇一四年に同協議会は公共交通機関内でベビーカーをたたまずに乗車することを基本的に認める指針を示した。ベビーカー利用者にとっては、その指針があるのとないのとでは大違いである。一方で、このような指針を示さなければならなかったところに、子ども連れへのまなざしの厳しさが表れている。

commonな空間が、せめて、もう少しだけopenなものになればと願わずにはいられない。そうすれば、お出かけ親子は、もっと楽しく、もっと自由に、どこまでも行けるだろう。ヨチヨチ歩きを始めたときのじゅんのように。

参考文献

木村至聖「レジャーと公共空間」工藤保則・西川知亨・山田容編『〈オトコの育児〉の社会学』ミネルヴァ書房、二〇一六年
齋藤純一『思考のフロンティア　公共性』岩波書店、二〇〇〇年

第五章

「家」や「血」をこえて

時間／別れ／先祖／法事／有名

時間

じゅんが生まれてすぐ、一枚の写真を撮った。分娩台で横になっている妻がじゅんを抱きかかえている写真である。妻は泣いている。じゅんは妻の胸にしがみついている。じゅんがこの世界に生まれてきて一番はじめにされたことは、抱擁なのだ。

助産師さんから「生まれましたよ」と言われたとき、私はどう表現していいのかわからないくらいにうれしかった。どんな言葉を使ってもたりないように思えた。

「ありがとうございます」

ただ、そうくりかえすばかりだった。

ほんの少し落ち着いてから、ズボンのポケットにカメラを入れていたことを思い出し、急いでシャッターを押した。それが、先の写真だ。私にとってかけがえのない一枚である。

じゅんが新生児用のベッドに移されてから、また一枚、写真を撮った。そこには、試合後のボクサーのような青紫色の顔をして、こぶしを胸の上に置いてベッドに横たわるじゅんが写っている。その顔は「ぼく、へとへとですわぁ」と言っているように見える。安産のほうだったとはいえ、妻のお腹の中から出てくるということは、じゅんにとって人生最初のとてつもない試練だったことがうかがえる。

数時間後、病室に戻ってから撮ったじゅんは、赤ちゃんらしい桃色の顔をしており、帽子をかぶせてもらいおくるみにくるまれて、気持ちよさそうに眠っている。その姿もカメラにおさめた。

その日の私は、ふんわりとした空気の中にゆらゆらと漂っている感じのまま、一日が過ぎていった。自分の行動はあまり覚えていない。しかし、アルバムの写真を見ると、頭の中にある記憶のスイッチが入る。

これまでどれだけ写真を撮ったかわからない。今では、大型のアルバム一〇冊分の写真がある。私はときおりそれを見返し、これまでのじゅんとの時間をかみしめる。

あるときから、そこにビデオが加わるようになった。私たち夫婦はデジタル音痴で、スマホを持ちはじめたのも数年前だし、動画撮影機能も使わないできた。そういう私たちがビデオを買おうと思ったのは、徳島の実家で父と暮らす祖父のからだのことが気になったからである。

明治四十四年生まれの祖父は、若くして父親を亡くしたあとは、農業によって家族を養ってきた。じゅんが生まれたときは百二歳だった。祖父はもともとからだが大きく、体力もあったので、百歳を超えても元気でいてくれるような気がしていた。

ところが、ある帰省の際、私は祖父のからだのことが、ほんの少し気になった。特別な変化があったわけではない。けれども、なにかを感じた。そして、「じゅんくんとじいちゃんが一緒にいるところを映像で残しておきたい」と思うようになった。

二〇一五年六月末、じゅんが二歳になる少し前に――それは祖父が百四歳になる少し前でもある――ビデオを買って、実家に帰った。

「はい。OKです。『録画』になってます」

私の声からその映像は始まっている。じゅんも祖父も、ビデオカメラをまったく意識せずにいる。妻がじゅんの横で、祖父に向かって「こんにちは」と言う。じゅんは腰をかがめる。祖父はじゅんのことをじっと見つめている。

「じゅんくんのお鼻は？」

そうたずねた妻の鼻をさわるじゅん。

「じゅんくんのお耳は？」

妻の耳をさわるじゅん。

その様子に、にっこりする祖父。

そのころのじゅんはシールが大ブームだった。当然のようにシールブックを持って帰省しており、椅子に座る祖父の手のひらに次から次へとシールをはっていく。祖父は、はられるがままにしている。

「じゅんちゃん、ありがとう」

祖父の声はややくもっているが、きちんと聞きとれる。

今度は、じゅんは「シール、返して」というように、祖父の手からシールをはがしていく。

「じゅんちゃん、いそがしいのー」

じゅんはシールブックを持って、部屋の中をちょこまか歩きまわり、なにかの拍子に転んだ。

「あぶないのー」

じゅんはひとりで立ちあがって、また部屋の中を歩きまわる。

「京都からきたというのに、いっちょもつかれとらん。げんきやなー」

祖父はずっとうれしそうにしている。表情はそれほど変わっていなかったが、こころでは大きく笑っていることがわかる。それがじゅんにも伝わるのか、ときおり、恥ずかしそうにしながら、小さな声で「じーたん」と言っている。

あたたかく包みこむような祖父のまなざしの先で、じゅんは無邪気に遊んでいる。

十一月に帰省したときは、じゅんがいるにもかかわらず、ほとんどの時間、祖父は車椅子に座ったまま寝ていた。その姿も撮っている。その翌日、急に体調を崩し、入院することになる。

入院したあと、三人で見舞いに行ったときもビデオカメラを携えていた。十二月は、今から思えば、祖父はまだ元気だった。映像の中の祖父は、電動ベッドの背中部分を上げて上半身を起こした状態でじゅんのことを見つめている。ベッドの脇でミニカーを走らせるじゅんの姿も一緒に映っている。

一月に病院に行ったときは、祖父はあまり話せなくなっていた。けれども、じゅんの肩に手をやり、なにかを話そうとしている姿が映っている。言葉はなくても、動きはなくても、やはりそこには写真では捉えきれない時の流れがあり、淡々とした映像であるが見入ってしまう。

私がひとりで病院に行ったときや、二月の祖父の最期の様子は撮っていない。映像として残したかったのは、じゅんと祖父のふたりの時間だった。まだ、ものごころのつかないじゅんは、おそらく、曾祖父との時間を忘れてしまうだろう。だから、ふたりの時間がたしかにあったということを映像のかたちでじゅんに残してあげたかった。

じゅんはたまに「ビデオ、見たい」といって、自分が映っている映像を見たがる。運動会など保育園の行事や家族でのお出かけの映像は歓声をあげながら見ているが、曾祖父と映っているものは静かにじっと見ている。

「おおきいじいちゃん、おはなし、してるなぁ」

「おおきいじいちゃん、じゅんくんのこと、みてるなぁ」

「おおきいじいちゃん、ねんね、してるなぁ」

などと言い、見終わると
「おおきいじいちゃん、おそら、いったなぁ」

とつぶやく。

じゅんなりに感じることがあるのだろう。

哲学者の鷲田清一は「『ふれあい』の意味」と題されたエッセイの中でこう述べる。


他に向かって身を開くことができるためには、まずいちど包まれなければならない。

ここに一つの真実がある。(『おとなの背中』角川学芸出版、二〇一三年、一六〇頁)

じゅんは生まれてきてすぐに母に包まれ、お空に行く準備を始めた大きいじいちゃんにも包まれた。その証(あかし)である写真やビデオ映像を、これから先も、折につけ、じゅんは見返すだろう。妻とともに写る、じゅんの人生最初の写真。祖父の人生最後の八カ月を彩(いろど)るじゅんのビデオ映像。どちらも、いのちは他者の温もりによって満たされ輝くことに気づかせてくれる。そして、「今、この時間」が、それぞれにとってかけがえのないものであることも。

別れ

祖父にとっては、結婚の遅かった孫（つまり、私）の子どもであるじゅんは、なにかしら特別な存在のようだった。はじめてじゅんを連れて実家に帰ったのは二〇一三年十一月のことである。そのとき、じゅんは生後四カ月だった。祖父は百二歳。

「じいちゃん、じゅんくん、抱いてみる？」

「あぶのー、ないか」

「下で支えておくし」

「ほうか。ほれじゃあ、だかせてもらおーか」

椅子に座っている祖父が両手を前にしてじゅんを抱える体勢をとった。そこにじゅんをそっと置く。じゅんは祖父の腕の中にすっぽりとおさまった。

「おもいのー」

祖父は顔をほころばせた。

「ゆーことなし」

その後、二〜三カ月に一度くらいのペースでじゅんを連れて実家に帰った。それを、祖父と

父は楽しみに待っていた。祖父は玄関から入ってすぐの畳の部屋でいつもの椅子に腰かけてお
り、私たちはそのまわりに座ってくつろいだ。じゅんがハイハイをしはじめ、やがてヨチヨチ
歩きができるようになると、その部屋と横の仏壇のある部屋がじゅんの遊び場になった。

二〇一五年六月。二歳手前になったじゅんがトコトコと祖父に近寄ると、祖父はしみじみと
「めがうすーなっとるけん、よーみえんけんど、じゅんちゃんは、えーかおじゃ」と言った。

部屋の中でさんざん動きまわり、やがて遊びつかれたじゅんは、祖父の前で大の字になって
昼寝をはじめた。祖父はじゅんのことをただじっと見つめている。そのうち、妻も昼寝を始め
た。祖父は、ふたりを見つめ続ける。

「もー、ゆーことなっしゃ」

九月末に帰省した際、祖父は、転ぶと危ないからと車椅子に座っていた。それ以外はとくに
変化はなく、いつものように、飽きることなくじゅんのことを見ていた。その次、十一月末に
帰ったときは、祖父は、前日、ほとんど寝ていなかったようで、車椅子に座ったままずっとう
とうとしていた。私は、祖父のからだのことが気にかかった。案の定というか、その翌日、体
調を崩し、病院に入院した。

入院してすぐ、十二月のはじめに、私はひとりで見舞いに行った。祖父の顔色は思ったより
よかった。

「この二年は、えーことばっかりやったけん、いつしんでもえーわ」

「じゅんちゃんは、えーかおしとる。(頭を指して)ここもえーわ」

「じゅんちゃんのこと、よろしゅーにな」

「じゅんちゃんはほんまえーこや。あっちにいったら、あーちゃん(私の母の愛称)にそーゆーとく」

「むこーにいったら、うえからみんなのことみとるけんな。しんぱいないけんな」

祖父の言葉ははっきりと聞きとれた。ほとんどがじゅんのことだった。

十二月中旬。妻とじゅんとともに三人で見舞いに行った。病室に入ったとき、祖父の顔のピントが合っていないように感じたが、じゅんがいることがわかるとすぐにピントが合い、にっこりした。

じゅんは、徳島駅のキヨスクで買ったアンパンマン列車のミニカーを、うれしそうに祖父に見せている。

「じーたん。アンパンマンでんしゃ」

「あー」

祖父がうなずく。なにかしゃべりたがっているが、声にする体力がないようで、言葉にはならない。

じゅんは、片言ながら、ずっとなにかをしゃべっている。

「メロンパン、おいしかったなぁ。また、かおな」

その日の朝食は高速バスの中でパンを食べた。そのことをいっているのだ。

「これ、えきで、かったなぁ」

アンパンマン列車のミニカーをまた祖父に見せた。

「よーしゃべるのー」

祖父の言葉が聞きとれた。

その後、祖父はまた黙ったままじゅんを見つめている。しばらくたって、

「もーしぶん……」

と祖父。

「もうしぶん……ない?」

と私。

祖父がうなずく。

「ないのっ」

じゅんがうれしそうに続く。

祖父はまたうなずく。

別れる間際、祖父は前の帰省のときと同じことを言った。

「じゅんちゃんは……、えーこや。あっちに、いったら、あーちゃんに、そーゆーとく」

「(妻に向かって)じゅんちゃんのこと、よろしゅう、おねがいします」

十二月末に転院し、その病院に三人で見舞いに行った。このときも、祖父はなにかを言おうとするのだが、言葉がうまく出てこなかった。やがて、少しずつ、言葉らしきものになっていった。それは聞きとりにくくはあったが、だいたいのことは理解できた。

「じゅんちゃんのこと……、ありがとうございます」

「じゅんちゃんのこと……、おねがいします」

妻に向かって、くりかえしそう言っていた。

最後に三人で見舞いに行ったのは一月末だった。祖父はほとんどなにも話せなくなっていた。けれども、じゅんの肩に手をやりなにかを話そうとしていた。

じゅんが生まれてから、祖父はずっとじゅんのことを想っていた。

二月二十日のお昼前に、病院にいる父から電話があった。父は、祖父が入院した日からずっと病室に泊まりこんでいた。

「今日ということはないと思うけんど……、この二~三日かもしれへん」

私はとるものもとりあえず、病院へ向かった。バッグに喪服を入れるのを少しためらったが、グッと押しこんだ。

途中、いつもの高速バスの車窓の風景が、なにか違って見えた。祖父のことを想いながらその景色をぼんやりと眺めていた。

病院には夕方に着いた。病室に飛びこみ、祖父の顔を見た。その瞬間、「じいちゃん、がんばってくれているなぁ。でも、いつ最期になってもおかしくないなぁ」と感じた。

家に電話をかけ、私が家にいない事情をじゅんに説明した。そして、祖父の耳元にスマホを持っていき、じゅんの声を聞かせた。

「じーーーたーーーーん」

祖父の閉じている目がほんの少し動いたのがわかった。

その日から私も父とともに病室に泊まりこんだ。

二十一日と二十二日は祖父に大きな変化はなかった。しかし、少しずつ、祖父の精気がなくなっていった。

二十三日。少しうとうとしただけで朝を迎えた。祖父の様子が、明らかに違う。息がずいぶんあれている。「今日なんだ」と思わないわけにはいかなかった。

すぐに妻に電話をかけ「じいちゃん、今日だと思う」と伝えた。妻は急いで支度をして、じゅんを連れてこっちへ向かった。あわてていた妻は高速バスにバッグを忘れ、JRの列車にマフラーを忘れ、十二時少し前に病院に到着した。そのとき、祖父は酸素マスクをつけ、朝よりもさらに息があらくなっていた。

「じーーーたーーーん」

じゅんが大きな声で呼びかけた。祖父の顔が和らぎ、頬に涙がつたった。

「じゅんくんが来てくれたで。よかったな」

父がそう言いながら、祖父の頭をなでた。

祖父の最期がもうそこまできていることを、皆、わかっていた。

「はーーっ、はーーっ、はーーっ」

息がさらにあらくなっていった。じゅんは私の膝の上でじっと祖父を見ていた。


十五時二十五分。祖父、永眠。

入院中ずっと家に帰りたがっていた祖父を連れて帰り、仏壇のある畳の部屋に敷いた布団に寝かせた。じゅんは状況が今ひとつわからないようで、祖父が横になっている布団の傍らできょとんとしていた。私も、なんだか妙な感覚だった。死んだ祖父がそこにいるのだが、「じいちゃんが死んだ」という感じはあまりなく、「じいちゃん。家に帰ってこられて、よかったなぁ。家でゆっくり休めて、よかったなぁ」という安堵の気持ちが勝っていた。

翌二十四日。前日同様に、じゅんは横になっている祖父のまわりをうろうろしていた。祖父の顔が笑っているように見える。妻にじゅんをみてもらいながら、私と父はお通夜（夜伽）と告別式の準備をした。お通夜は、この日に自宅で行った。それに先立って、夕方から近所の「ねえさん」たち（おもに七十代以上の方たち）が手伝いに来てくれ、いろいろと準備をしてくれた。

二十五日の十一時から町の葬儀場で告別式を行った。一時間ほどの式の最中、私の膝に座っていたじゅんは「じーたん」と何度も何度も言っていた。大きいじいちゃんがいなくなったことを、この段階で少しずつ理解しはじめたようだった。

火葬場での最後の対面では、じゅんは大きな声で「じーたーん」と呼びかけた。父がじゅんの頭をなでながら「大きいじいちゃん、よろこんどるよ」と泣き笑いの声で言った。その場にいたみんなが泣き笑いになった。

焼かれて骨になった祖父に向かって皆で手をあわせた。じゅんも神妙な顔で手をあわせた。お骨をひろい壺に入れてお墓に向かう際には、じゅんに骨壺を入れた桐の箱を持たせた。祖父はよろこんでくれただろう。

じゅんは、この日まで、何回、祖父に会っただろう。ごろんごろん寝返りができるようになり、つかまり立ちができるようになり、ヨチヨチ歩けるようになり、トコトコ歩けるようになり、話ができるようになり。祖父は、会うたびにぐんぐん成長していくじゅんに目を見張り、そのたびに「ゆーことなし」とよろこんだ。祖父の百四年の人生において、じゅんと一緒にいることができた二年半は、それこそ「ゆーことなし」だったろう。

祖父の長い人生にはさまざまなことがあった。家族の多くが自分より先に（それもずいぶん先に）他界したので、人の何倍も悲しい思いをしたはずである。そういう祖父にとって、じゅんは未来に続いていく希望そのものではなかったか。

人生は「出会いと別れ」である。出会ったなら、必ず別れなければならない。しかし、私たちはそのことを忘れがちである。いい出会いは人生を豊かにしてくれる。いい別れもまた、そうであろう。

祖父との別れは、じゅんにとって、人生最初の別れだった。その最期に立ち会えたことは、これから先、大きな意味を持つように思う。永遠の別れではあったが、祖父はじゅんのこころの中にずっと残っていくだろう。

じゅんのおかげで、私も祖父といい別れができた。

先祖

徳島の私の実家に帰ったとき、じゅんが最初にすることは決まっている。玄関から続いている部屋を駆けぬけ、その奥の部屋に置いてある仏壇の前まで走っていくのだ。ふたつの部屋はふすまで仕切られているのだが、いつもそのふすまは開けたままになっている。

チンチンチーーン。

じゅんは大きな音を立てて鈴(りん)を鳴らし、立ったまま手をあわせる。

「むにゃむにゃ」

口に出してそう言う。

じゅんが生まれる前から、私と妻は実家に帰ると、まず仏壇に手をあわせていた。じゅんが生まれてからは、私がじゅんをだっこして、一緒に手をあわせた。ハイハイができるようになって、じゅんは仏壇まで自力でたどりつけるようになった。そして、ヨチヨチ歩きができるようになったころには、私たちよりも先にじゅんが仏壇の前まで行くようになった。仏壇の脇には、ずっと前から私の母の遺影が置かれている。

祖父が元気だったときは、じゅんが仏壇の前で「むにゃむにゃ」と言っている姿を、椅子に座って、目を細めて見ていた。

「じゅんちゃん、えらいのー」

「あーちゃんも、よろこんどるわ」

祖父が声をかけると、じゅんは振りかえり、にっこりする。そして、祖父の前で遊ぶのだった。

その祖父は、もういない。口を大きくひらいて笑っている祖父の遺影が、母の遺影と並んでいる。

「じいちゃん、じゅんくん、来たよ」

「じーたん」

「母さん、じゅんくん、来たよ」

「ばーちゃん」

「じゃあ、じゅんくん、むにゃむにゃ、しよーか」

「むにゃむにゃ」

ひと通り儀式が済むと、父が「はい、これ」と言って、鈴の横手に置いてあるポチ袋をじゅんに手渡すのが恒例になっている。袋の中身はおこづかいなのだが、じゅんは意味がよくわからないので、そのまま妻に渡す。

「はい、どーじょ」

「お義父さん、いつもすいません。じゅんのものを買うのに使わせてもらいます」

妻が父にそう言うのも、もはや恒例である。

それから、じゅんは、ふたつの部屋を行ったり来たりして遊ぶ。祖父と母だけでなく、仏壇に位牌が入っている人たちが皆それをあたたかく見守ってくれているような気がする。

妻はじゅんの写真やじゅんが描いた絵を私の実家によく送っている。父はメールもしないし、家にはパソコンもないので、「もの」で送っている。祖父が存命中は、ふたりで写真や絵を見たあと、仏壇にあげていたようである。祖父が他界したあとは、まず仏壇にあげて、そのあとで父が見ているようである。

「写真、着いたけんな。今、お仏壇にあげとるけん。明日にでも、ゆっくり見せてもらいます」

電話で父がそう言うのを聞いて、妻は驚いていた。

「なんでもお仏壇にあげるんやね」

「そうやね。子どものときから、いただいたものは『まずお仏壇』やったなぁ。その習慣がずっと続いてるんやね」

「あの世とこの世の連絡口なんやね。お仏壇ってすごいなー」

仏壇とお墓は、ある意味で、セットである。

私たちは帰省のたびに、父の運転する車に乗り、十分ほどかけてお墓のある山に向かう。車をとめてからかなり急な坂道を登るのだが、その最後は人ひとりがやっと通れるくらいの細い道になる。じゅんが妻のお腹の中にいたころは、この細い道の脇に、父が竹を使って手すりをつくっていたのだが、それはもう朽ちている。

今ではじゅんも道を覚えていて、ひとりで先に坂道を駆けのぼる。私があとを追いかけ、妻と父がそれに続く。父は坂道の途中にある水道でバケツに水を入れる。

足元に気をつけながら細い道を上がったら、見晴らしのいい場所にお墓がふたつ並んでたっている。ひとつは家の代々のお墓で、もうひとつは母と祖父が入っているお墓である。

父は竿石に水をかけ、水鉢に水をそそぐ。線香に火をつけ、線香立てにたてると、私に封筒を手渡す。封筒にはお米が入っている。お米をひとつまみ取り、線香立ての手前に置く。続いて妻が、そして私にだっこされたじゅんも同じことをする。父が家から持ってきた花を花立てにたてる。それらが終わると、みんなで手をあわせる。

「むにゃむにゃ」

じゅんはここでもそう言う。

「大きいじいちゃん、よろこんどるわ。ばあちゃんも」

父も毎度そう言う。

お墓からは吉野川をはさんだ対岸の町まで見渡せる。私は「ここで生まれ育ったんだなぁ」と、毎回、しみじみ思う。

仏壇やお墓はイエのしがらみや面倒くささの象徴として扱われることが多い。私も、かつてはそう思っていた。いや、今も、「将来、どう守っていけばいいのだろう」という心配はある。それでも、母の死と祖父の死を経て、母や祖父とつながる場所として、仏壇やお墓を大切にしたいと思うようになった。仏壇やお墓に手をあわせるとき、自然と「じゅんのことを見守ってください」とお願いする。自分を見守ってくれた人たちに、自分の子どものこともお願いしたくなるのである。

仏壇やお墓は、父にとってはより大きな意味を持っている。帰省のたびに気がつくことだが、仏壇にはいつも新しい果物が供えられている。お墓の花もいつも新しい。父が頻繁にお墓に行っていることがわかる。仏壇やお墓を介してあの世の人とつながることで孤独がやわらげられているのかもしれない。

若いころは先祖のことを考えたりすることなどなかった。けれども、じゅんの誕生、育児の日々、祖父の他界などを経験するなかで、仏壇やお墓、そして先祖のことを身近に感じるようになった。人の生き死にに直面すると、それが遠くにあるものではなく近くにあるもの、さらに言うと、自分の中にあるものとして実感するようになる。たんに年をとったということかもしれないが、自分でも少し驚いている。

先祖と子孫は見守る／見守られることでつながっている。仏壇やお墓は、そうしたつながりを時間と空間をこえて取り結ぶ回路のように思える。

法事

祖父の一周忌法要を二〇一七年二月十一日土曜日に行った。祖父は一年前の二月二十三日に他界したのだが、私の仕事やじゅんの保育園の行事などの都合もあり、父と相談して命日より少し前に行うことにした。

「来てくれる人は、だいたい、もう仕事していない人やけん、仕事しとる人と学校にいっとる人が優先じゃ」

日程を決める際、電話の向こうの父はそう言った。

いつもの帰省と同じように、私たちは前日の朝に京都を出て徳島に向かった。とても寒い日だった。祖父が逝った日も寒い日だった。

午後一時過ぎに実家に着き、これもまたいつものように、じゅんが仏壇の鈴をたたき「むにゃむにゃ」ととなえる。そして、鈴の横に置いてあるポチ袋を指さした。

「これ、くれるんかなー」

じゅんは実家に帰って最初にすることとして、仏壇に手をあわせることと、私の父からおこづかいの入ったポチ袋をもらうことが頭に入っているようだ。私と妻は、思わず笑ってしまった。

「ほーじゃな。はいどーぞ」

父がじゅんにポチ袋を手渡す。

「ありがと」

じゅんは腰をかがめて受けとり、中身のことはどうでもいいのか、そのまま妻に渡した。

少しくつろいだあと、翌日に備えて、部屋の掃除をすることにした。実家には父がひとりで暮らしている。それなりに片づけてはいるものの、やはり部屋の隅などにはほこりがたまっている。

妻が掃除機をかけはじめた。

「じゅんくんも」

そういいながら、じゅんは妻が持っている掃除機のホースを握った。

「じゅんくん、手伝ってくれるのはうれしいけど、かけにくいなぁ」

困っている妻のことなどおかまいなしに、じゅんは楽しそうにホースを前後に動かす。

仏壇の右横には、翌日の法事に備えて祭壇が用意されていた。そこには祖父の百歳のお祝いの際に撮った写真が遺影として置かれている。部屋の拭き掃除をしていた私には、祖父がじゅんと妻の様子を見て笑っているように思えた。

掃除が一段落したところで、父がじゅんに声をかけた。

「じゅんくん、お団子つくるんも、手つどーてくれるか」

私はまったく知らなかったのだが、祭壇に供える団子を四九個つくる必要があるようだ。

「はーい！」

お団子という言葉から楽しそうだと察知したのか、大きな声で返事をした。

台所では、お鍋の中にお湯が沸いていた。その横に、水で溶いた団子粉がボールに入っている。私たちが部屋の掃除をしているときに、父が準備を終わらせていたのだろう。お手本を見せるかのように、父はその団子粉を手に取り、両手でピンポン玉よりやや小さいくらいの大きさにまるめた。私も見よう見まねで、団子をつくった。

「あつい？」

じゅんが聞く。

「熱くないよ」

私の返事に安心したじゅんの手のひらに、父がほどよい量の団子粉の塊を置く。

「おもしろいなー」

じゅんは思いのほか器用にまるめていた。

まるめた団子をお鍋の中に入れると、一分くらいで茹であがる。それを取りだし、片栗粉を敷いたお盆に入れ、その上で転がす。まるめた団子がお盆の中でころころと転がって片栗粉がついていく。

「おもしろいなー。じゅんくんも」

そう言って、じゅんは私の手からお盆を奪った。

そうしてできあがった四九個の団子を、祭壇の左右二台の高坏（たかつき）に盛った。それ以外の準備は父がすでに終えていたので、これで明日の準備が整ったことになる。

一周忌当日も、とても寒い日だった。九時半ごろから親戚が集まりはじめ、最後に大阪の親戚が十一時前に到着し座布団に座ったところで、おじゅっさんの読経が始まった。

実家は建物が古く、窓枠のサッシも木製である。隙間風が入り放題で、家の中にいてもとにかく寒い。エアコンは壊れていて動かない。寒さ対策として、電気ストーブを三台、部屋に置いた。八畳の部屋に、仏壇と祭壇、おじゅっさん、おとなが九人、子どもがひとり、電気ストーブが三台。ぎゅうぎゅう詰めだ。

約三十分間の読経のあいだ、じゅんは神戸のじいちゃんの膝の上でおとなしくしていた。皆、祭壇にある祖父の遺影を見たあとで、じゅんのほうに目をやる。そしてにっこりとする。それを何度となくくりかえしていた。

その後、昼食をとる仕出し屋さんの出してくれたマイクロバスに乗り、山にあるお墓に向かった。マイクロバスに乗るとき、父はじゅんと妻に卒塔婆(そとうば)を、私には線香とお米を入れた小さな手提げバッグを渡した。山のふもとでバスを降り、十分ほど山道を登ってお墓に着いたとき、私は手提げバッグをバスの中に置いてきてしまったことに気がついた。私があわてていると、じゅんが小さな声で「パパ、すぐわすれるなー」と言って笑った。急いで取りに帰ろうとしたが、父が「別になかっても、じいちゃん、困らんけん」と言ったので、そのままお墓の前で皆で手をあわせた。じゅんも小さな手をあわせた。

山道を下るときも、じゅんは「パパ、わすれたなー」とうれしそうに言った。私があたふたしていたのが、よほどおもしろかったものとみえる。

「パパはダメだなー。じゅんくんが頼りだなぁ」

「そうやなー」

「これからは、パパが忘れものしていないか、確かめてな」

「うん。わかった」

ふたりの会話を皆が聞いていた。

仕出し屋さんでの昼食のとき、じゅんはテーブルの椅子にちょこんと座り、にこにこしていた。細巻き寿司が気に入ったようで、私と妻の分も食べた。

「じゅんくん、小さいお寿司、好きなんやねぇ。ばーちゃんのもあげる。食べて」

「ありがとー」

神戸のばあちゃんの分も食べた。「しっかり食べて、えらいなー」と皆が口々に言った。

食事の最中、父のきょうだいや亡母のいとこたちが、次々にじゅんのところにやってきて、話しかけてくれた。

「おじゅっさんがお経を読んどったとき、えー子にしてたなー」

「お墓まで、よー登れたなー」

「お寿司、好きなんか。いっぱい、食べーな」

私もひさしぶりに会う人たちだ。じゅんは誰が誰だか、わかっていない。

父のきょうだいや亡き母のいとこは、じゅんからみれば、どういう名称になるのだろう。そういう関係はもう親戚とは言わないのかもしれない。しかし、日常的に共食する関係を家族と言うならば、人生儀礼において共食する関係を、つながりの近遠にかかわらず、親戚と言ってもまちがいではないだろう。

法事と子どもは相性がいいようだ。子どもがいると、法事の場がほどよく明るく保たれる。死んでいく人がいれば、生まれてくる子どももいて、そこに終わりはないのだということを納得させられる。こうした「つながり」の実感は、「家」とか「血」とかだけに由来するのでは、おそらく、ない。「未来」や「希望」の共有があるのだと思う。子どもはそれを象徴するとともに、体現する存在である。

祖父の一周忌法要を済ませ、私たちはその日のうちに京都まで帰ってきた。

夜、布団に入ってから、私は横で寝ているじゅんに声をかけた。

「じゅんくん、いろいろ、ありがとうね」

「いえいえ、どーいたしまして。おおきいじーちゃん、うれしかったなー」

じゅんはそう言うと、しばらくして小さな寝息をたてはじめた。

有名

じゅんが生まれた年の秋、妻がこんなことを言った。

「じゅんくんが、これからの人生でなにかつらいことがあったとき、手に取って『自分の人生がつらいものであるはずがない』と思えるようなものをつくってあげたい」

妻にもそういうときがあり、そういうものがあったのかもしれない。

私はその言葉に大いに納得し、ふたりで考えをめぐらせた結果、じゅんに関する「本」を毎年つくることにした。私は仕事の成果を本として出すことがあるし、妻は大の本好きである。ふたりとも本が身近にあるので、そのようなアイデアになった。もちろん、「本」といっても市販されているような本ではない。

一冊目はじゅんの生まれた年の十二月二十日から編集作業を始め、完成したのは十二月三十日だった。奥付の発行人のところには妻の名前が入っている。構成は、「まえがき」「できごと」「日誌」「写真」「手紙」「あとがき」からなっている。

「できごと」には「七月二日十一時二十五分誕生。体重二八〇四グラム、身長四九・六センチ、胸囲三一・〇センチ、頭囲三二・四センチ」「七月七日　退院。この日が出産予定日だった」

「七月十三日　へその緒がとれた」「七月二十二日　乳児湿疹が出はじめる」というようなじゅんの様子や、「八月二十四日　のんちゃんが遊びに来る」「九月五日　初ワクチン（ヒブと肺炎球菌）。一瞬泣いただけ」「十一月二十五日　一泊二日の徳島旅行。午後、父の実家で大きいじいちゃん（ひいおじいちゃん）、おじいちゃんと初対面」というようなじゅんをめぐる出来事を記録としてまとめている。これが三ページある。

「日誌」は、じゅんの誕生後、病院でもらった「今日の赤ちゃんの様子」という、おっぱいやミルク、便や尿についての記録用紙をコピーしたものである。妻は退院後も毎日それをつけていた。一ページが一日分となっており、十二月三十一日までの記録なので一八三ページある。

「写真」はたくさん撮った写真を時期ごとに厳選したものである。一ページに四枚載せて、計六ページ。生まれてすぐの写真、退院してから家で撮った写真、お宮参りやお食い初めのときの写真などである。帰省した際に撮った、当時百二歳の祖父と一緒に写っている写真もある。たった半年間のあいだに、じゅんがぐんぐん成長していったことがよくわかる。最後の写真は、ベビースケールに裸のじゅんが乗っており、カウンターには七四〇〇グラムという数字が表示されている。

「手紙」は、じゅんが文章を読めるようになったときに読んでもらおうと思って書いた「お母さんからの手紙」「お父さんからの手紙」と、家族や友人からいただいた手紙を載せている。

「お父さんからの手紙」の一部を次に示す。

この手紙は、じゅんくんが十歳くらいになったときに、読んでもらおうと思って書いています。

じゅんくんは二〇一三年七月に生まれました。

じゅんくんもがんばってくれたと思いますが、お母さんもがんばってくれました。ふたりがいっしょにがんばってくれました。

じゅんくんが生まれたとき、お父さんはしあわせいっぱいで泣いてしまいました。

お母さんも泣いていました。

少しおくれてじゅんくんも「おぎゃー」と泣きました。

その声をきいて、お父さんとお母さんはまた泣いてしまいました。

「ことばにならない」ということばがあります。どういうときに使うのかよくわからなかったのですが、じゅんくんが生まれたとき、お父さんは、助産師さんに「ありがとうございます。ありがとうございます。うれしくて、うれしくて、どういっていいかわかりません」といいました。

「ことばにならない」というのは、じゅんくんが生まれたときの気持ちをあらわすことばだと思いました。

（後略）

こういう手紙もある。

じゅんが生まれた病院の母子センターの皆さんへあてた手紙である。

しちがつにうまれたじゅんです。

あのときは　いっぱいおせわになりました。

ママといっしょに　たいいんするひまで　いっぱいおせわになりました。

パパとママといっしょにおうちにかえってからも　ぼくはげんきにしています。

うまれていっかげつたったころに　かおにポツポツができたこともありましたが、しょうにかでみてもらい、「しんぱいない」といってもらいました。

ママのおっぱいものめるようになりました。

いつもおっぱいとミルクをあわせてのんでいます。

うんちもいっぱいしています。

ねんねもいっぱいしています。

もちろん、これは、じゅんが書いたという体裁をとって私が書いたものである。子どもが書くような文字をまねて——といっても〇歳の子どもが文字を書くわけもないが——書いている。あとから聞いたところによると、この手紙は母子センターの皆さんがよろこんでくださり、しばらくセンターに掲示したあと、妻の出産を担当してくれた助産師さんが大切に持ちかえってくださったようである。

これらを、妻が書いた「まえがき」と私が書いた「あとがき」ではさみ、「じゅんくんのあゆみ　二〇一三　うんちに一喜一憂からおっぱいさよならまで」と書かれた表紙をつけ、製本した。全部でA4サイズの紙が二〇〇枚以上となり、厚さは二・五センチ、重さは一・一キロもある。できあがったときの妻の満足顔は忘れない。

正式なタイトルは「じゅんくんのあゆみ」であるが、いつからか、私たちは「じゅんくん本」と呼ぶようになった。本というのは、なんだか恥ずかしいけれども、誰かに読んでもらいたいものである。家に遊びに来てくれた人や、保育園の先生方に、「こんなものをつくったんです」と言いながら手渡し、見てもらった。皆さん、「これはじゅんくんの宝物になりますね」と言ってくれる。「三人の宝物ですね」と言ってくれた人もいた。

それから毎年、つくっている。「三号雑誌」という言葉があるように、継続してつくり続けることはなかなか難しい。現在のところ、なんとか無事に、毎年、刊行している。

目次は基本的には同じである。二冊目の「日誌」は保育園と家庭との連絡日誌（生活記録）に代わった。それも一歳の誕生日からはA6判の「連絡帳」に代わり、それは巻末に挿入したクリアファイルにおさめている。前年の目次に「保育園」という項目が加わり、じゅんの保育園生活にまつわるプリントやお絵描きなどの作品がおさめられている。二冊目のタイトルは「じゅんくんのあゆみ　二〇一四　十倍がゆひとさじからあんよで一キロまで」で、厚さは三センチ、重さは一・三キロである。

三冊目は「じゅんくんのあゆみ　二〇一五　水イボとのたたかいから『あぢた、うどんたべようか』まで」で、厚さは三センチ、重さは一・三キロ。四冊目は「じゅんくんのあゆみ　二〇一六　おおきいじいちゃんバイバイからひとりでおしっこまで」、厚さは五センチ、重さは一・八キロ。園での活動が広がるなか作品の数も増え、「保育園」の部分が厚くなった。

その後も、その年にあったじゅんの成長を象徴するエピソードをタイトルに入れてつくり続けている。厚さも重さも増える一方である。

「子どもが小さいときはたいへん」とよく言われる。逆に「今が一番いいとき」とも言われる。どちらも真実なのだろう。「じゅんくん本」を手に取ると、そういう日々が織りなす時間の重さと厚さを実感する。振りかえると、それぞれの日が「特別な一日」であったことがわかる。そして、どの一日ももう二度と戻ってくることはない。

哲学者の鶴見俊輔がこんなことを書いている。

「フェイマス」（有名な）という言葉の使いかたに、五十何年か前にアメリカの家庭で出合って、おどろいたことがあった。ひと月かふた月前に、家族の誰かが言ったことが、フェイマスとして引用されるのである。（略）人は誰でも、そのうまれついた家庭にとって有名人である。それ以上の有名を求めるという姿勢にあぶなっかしさがつきまとうと私は思う。しかし、自分のうまれついた家庭での有名性さえもなしにくらすということになると、個人は卑屈な気分、あるいはそれをくつがえしたたけだけしい姿勢をとることをしいられる。（『隣人記』晶文社、一九九八年、二六三―二六四頁）

「じゅんくん本」によって、生まれたときからじゅんが私たちの中で有名人であったことを残してやりたい。それは妻が言った「じゅんくんが、これからの人生でなにかつらいことがあったとき、手にとって『自分の人生がつらいものであるはずがない』と思えるようなものをつくってあげたい」に通じることだと思う。

じゅんくん本をつくっているあいだに、私は五十歳を超えてしまった。半世紀は長いようで、あっという間だった。年をとるにつれ、月日が束のように流れていく。それに流されていると、いつの間にか毎日が「特別な一日」であることをすっかり忘れてしまう。

じゅんの一日の「濃度」に接するとき、親として、その時間に重なりあえるよろこびを感じる。

第六章

兄になったじゅん

宝物／距離／生活

宝物

三年前、つまり、じゅんが四歳のとき、私たち家族に大きな変化があった。娘のあさが生まれたのだ。

妻に陣痛がきたのは午前三時だった。あわただしく妻が入院セットを再確認していると、じゅんが目を覚ました。「お家でパパと一緒にいる？　それともみんなで病院に行く？」とたずねると、「みんなで病院に行く」との返事。三人でタクシーに乗って病院に向かった。

八時十五分にあさが生まれた。あさの誕生に際しては、じゅんも立ち会った。産声を聞いたときの、じゅんのあの驚きとよろこびがないまぜになった顔は忘れられない。そして、看護師さんがあさを抱いて、その顔を見せてくれたときの、じゅんの照れたような顔も。

二年間、妹と一緒に生活していくなかで、じゅんはだんだんとお兄ちゃんらしくなっていった。

あさが赤ん坊のときは、私や妻はどうしてもあさの世話に手を取られてしまい、じゅんの相手はあとまわしになった。

「パパ、遊ぼー」

「じゅんくん、ごめんね。今、あさちゃんの相手をしているから、ちょっと待っててくれる？」

「……。わかった」

少し寂しそうな顔でそう言って、私の手があくのを待ってくれた。それまで独り占めしていた親から「ちょっと待ってて」と言われるのはつらかったと思うが、じゅんはじっと我慢してくれた。

「じゅんくん、待たせて、ごめんね。一緒に、遊ぼう」

「えーっと、えーっと、なにしようか」

「なんでもいいよ。じゅんくんの好きなこと、しよう」

「じゃあ、トントン紙相撲」

無理をいわず我慢してくれるじゅんがいとおしく、手があいたときは、それまで以上にじゅんと遊ぶように努めた。

あさは一歳半になり、ヨチヨチ歩きができるようになると、じゅんと一緒に遊びたがった。とはいっても、じゅんにとっては、あさがまとわりついてくると邪魔でしかない。あさは、じゅんがお絵描きをしているとその上にぐちゃぐちゃとなぐり描きし、積み木を積んでいると壊し、ミニカーで遊んでいると奪う。あさが近づくと「あさちゃん怪獣が来たー」とじゅんはおどけながら逃げた。あさのほうは、じゅんが追いかけっこをしてくれていると思い、「ぐひひひひ」と大笑いをしながら追いかけた。

じゅんを見ていると、ただ我慢しているわけではなく、五つ年の離れた——身長も体力も違う、言葉の量も質も違う、理解力も違う、つまりは、なにからなにまで大きく違う——あさのことを、じゅんなりに認め、譲り、折りあいをつけているようだ。「もー、あさちゃんたら～」と「クレヨンしんちゃん」の口調をまねして不平を言いつつも、あさがまとわりつくままにさせている。あさのほうも、どこ吹く風という感じで笑っている。

そういうふたりが一緒に遊んでいる様子を眺めながら、私はじゅんによくこう言う。

「あと八十年、ふたりは持ちつ持たれつ。じゅんくんが得意なことはじゅんくんがあさちゃんを助けてあげて。そのうち、あさちゃんのほうが得意になることも出てくると思うよ。そこは、じゅんくんがあさちゃんに助けてもらったらいいよ。でね、いつか、パパとママは死んじゃうけど、ふたりはずっと助けあって生きていってね」

冗談めかして言っているが、かなりの部分、本気である。

二〇一九年度は、じゅんは保育園の最終年、いわゆる「年長さん」だった。じゅんの通う保育園では、そのクラスのことを「たんぽぽ組」という。

「たんぽぽ組」での一年は、記憶に残ることがたくさんあった。

まず思い出されるのは、運動会である。当初は十月十二日（土）の予定だったが、雨が降って二日後に延期になった。じゅんとあさの運動会を見るために徳島から出てきていた私の父は、十四日（月・祝）に地域での用事があるため、「お天気のことは、しゃーないわ」と言って徳島に帰っていった。

十四日の朝、祈るような気持ちで起きた。まだ小雨が降っていた。先に起きていた妻は「気になって、夜、何度も目が覚めた。そのたびに、雨音が聞こえたわ」と。気をもみながら朝食をとっていると「運動会をやります」という連絡がメールで届いた。

八時にじゅんとあさを連れて、妻とともに保育園に向かった。家を出るとき雨はやんでいたが、もう少しで保育園に着くというところで、また降りだした。園に着くと、保護者たちは心配そうな顔をして、校舎の軒下やテントで雨宿りをしていた。顔見知りのお母さんと「どうなるんでしょうねぇ」と話していると、スピーカーから「開始までもうしばらくお待ちくださ い」というアナウンスが流れた。子どもたちは教室で待機しているようだ。三十分くらいたっただろうか、ほんの少しだけ雨が弱くなったとき、「これから運動会を始めます」とアナウンスがあった。

園長先生の「最近、雨雲レーダーという便利なものがあるようです。先ほどそれを見たら、雨雲が移動していってます。これから雨が強くなることはないと思います。ですが、もし、また雨が強くなることがありましたら、中断することがあるかもしれません。若干プログラムを変更して実施しますが、ご理解、ご協力をお願いします」という挨拶があったあと、「たんぽぽ組」の和太鼓演奏から運動会が始まった。

園長先生の期待に反して、途中で雨脚が強くなることもあり、数回、中断された。再開時には、先生方が水たまりに向かってスポンジを持って走っていき、スポンジに雨水を含ませてバケツに絞りだし、園庭の状態を少しでもよくしようとされていた。

プログラムは、なんとか、「たんぽぽ組」の竹馬までたどり着いた。竹馬の足台はそれぞれにあった高さである。じゅんの高さは四〇センチくらいだろうか。踏み台の上から竹馬に足をかける。両足が足台に乗ったと思った瞬間、足をすべらせてしまい、乗りそこねてしまった。以前のじゅんならそうなると一気に弱気になり失敗を引きずってしまったものだが、もうそんなことはなく、今度は慎重に足台に足を乗せ、ゆっくりと歩きはじめた。手でしっかりと竹馬を握り、姿勢よく前を向いて、歩を進めていた。障害物も難なく越えて、ゴールイン。観客席からの拍手に恥ずかしそうにしていた。

その姿を見届けて、私は大学に向かった。その日は祝日だが、授業があったのだ。大学に向かいながら、ずっと、「プログラムは最後までできたのかな」と気になっていた。

あとで妻から聞いたところによると、その後もときおりしぐれるなか、親子タイムや玉入れを割愛することで、最後のプログラムまでたどり着いたようだ。最後のプログラムは、「たんぽぽ組」が二組に分かれてのリレー。これは、毎年、とても盛り上がる。

じゅんは足が速い。クラスのみんなもそのことを知っている。私や妻は「アンカーになるのかな」と思っていたが、そうではなかった。走る順番はみんなで話しあって決めたそうだ。「じゅんくんは足が速いから、真ん中あたりで盛り上げる順番」となったようだ。

十九時過ぎに家に帰った私は、玄関で迎えてくれたじゅんの顔を見るやいなや、「リレー、勝った？」とたずねた。じゅんの返事は「運動会は勝ち負けやないんやで」。先生から教わったのだろうか。自分のできることをせいいっぱいやるかどうかが大事なんやで」。先生から教わったのだろうか。自分の素直な気持ちなのだろうか。いずれにしても、じゅんの言う通りである。私は最初に勝ち負けを聞いたことを反省した。


一月には「たんぽぽ組」は社会見学に行った。保育園ではこれまではなかったイベントだが、ひょんなことから私も関わって実施することになった。見学先はミシマ社京都オフィス。社会見学が決まったあと、ミシマ社のワタナベさんとごく簡単な打ちあわせを一度しただけで、当日を迎えた。

保育園からミシマ社京都オフィスまで徒歩約三十分。当日の九時半、私は園の門前で立っていた。手には「たんぽぽツアー」と書かれた旗がふたつ。前の晩にじゅんと一緒につくったものだ。子どもたちが園庭に出てきたのが見えたとき、私は旗を大きく振った。

「じゅんくんのおとーちゃん、今日は、なんで来てるの」

「添乗員さん」

「添乗員さんて、なに」

「えっと、みんなと一緒に行く人、かなぁ」

「ふーん。でも、今日はお仕事行かなくていいの?」

「いいの、かなぁ……」

そんな話をしながら、ツアーが始まった。一九人の子どもたちは二列に並び、友だちと手をつないで歩く。先生ふたりと私は、安全を確認しながら、その前後を歩く。園のすぐ近くに京都御所があるのだが、その中を通り抜け、五分も歩かないうちに、ミシマ社がある。

インターホンを押すと、ミシマ社の皆さんが笑顔で迎えてくれた。オフィスに上がり、一階の和室でワタナベさんから「ここは本をつくっているところです。いっぱい本を置いていますから、本を大事にしてください」との基本姿勢のレクチャーを受けてから、階段を上がり二階の仕事場へ。パソコンが並び、さまざまな資料があふれる、本づくりの現場を見学させてもらった。子どもたちは部屋にあるものひとつひとつに興味津々。ワタナベさんが説明をしているなか、子どもたちはミシマ社の皆さんに勝手に話しかけていた。

ふたたび一階和室に戻り、今回の社会見学のメイン企画であるワタナベさんによる『ネコリンピック』(益田ミリ作／平澤一平絵、ミシマ社、二〇一四年)の読み聞かせが始まった。

よーいどんで　走らなくて　いいんだってにゃ〜。
好きなところからで　いいんだってにゃ〜。
好きなときに　はじめれば　いいんだってにゃ〜。
飛んだって　いいんだってにゃ〜。
のぼっても　いいんだってにゃ〜。
何回やすんでも　いいんだってにゃ〜。
にゃーにゃー　泣いても　いいんだってにゃ〜。
まよっても　いいんだってにゃ〜。
えらんだ道で　いいんだってにゃ〜。
ぐるぐるまわって、また最初からでも　いいんだってにゃ〜。

たすけてもらっても　いいんだってにゃ〜。
たすけるのも　いいんだってにゃ〜。
だけど、ひっかくのは　ダメなんだってにゃ〜。
何番でも　いいんだってにゃ〜。
いいにゃ〜　いいにゃ〜　ネコリンピック。
みんなメダルがもらえますにゃ〜。
よかったね！　よかったにゃ〜。

子どもたちの目は、ワタナベさんが持つ『ネコリンピック』にそそがれている。読み終わるや否や、ある子から「もう一回！」の声。驚くワタナベさん。が、とてもうれしそう。

「ありがとう。そしたら、今度は、みんなで『にゃ〜』を言おうか。そして、そーだなー、『にゃ〜』のところで、こういうふうにポーズもとろうか」と言い、両手の手のひらを軽くグーにして、顔の前に出した。

二回目の読み聞かせが始まった。子どもたちのポーズ付きの「にゃ〜」の声が、何度も何度もとどろいた。みんな、とびっきりの笑顔。

二回目が終わった。

「もう一回！」

「もう一回、読んで」

「読んで！」

何人もの子どもたちからのふたたびのアンコール。予想外のことにワタナベさんは驚きながらも、「それじゃあ、今度はスピードアップで行くよ」と即座の対応。

三回目、ワタナベさんが早口で読んでも、子どもたちは余裕でついていき、ポーズをとっての「にゃ〜」をくりかえした。

大盛り上がりのなか、読み聞かせが終わった。

「じゃあこれからは、ネコリンピックのネコちゃんに、なんの種目に出てもらいたいか考えて、そのユニフォームを描いてみよう」と、ワタナベさんは服を着ていないネコちゃんが描かれた台紙を子どもたちに手渡した。

「ワタナベ先生、のど、カラッカラに渇いたから、水飲んでくるね」

「いっぱい飲んできて」

「そやな、いっぱい、飲んでくるな」

ひとつひとつの会話がどれもおかしい。

お絵描きタイムに入ると、子どもたちはそれぞれ好きな競技を考え、集中してクレヨンでユニフォームを描き、色を塗る。友だち同士でアドバイスしあっている。真剣そのものだ。描き終わったら、絵を集めて、ワタナベさんがみんなの描いた選手の紹介をした。どの絵も気持ちのこもったいい絵だった。

それぞれの絵の紹介とあわせて、その絵を描いた子に、ミシマ社の皆さんが用意してくれた「ネコリンピック」金メダルを授与した。金メダルをかけてもらっているときの子どもたちの、うれしくてたまらないといった表情。添乗員の私も金メダルをかけてもらった。最後に全員で「にゃ〜」ポーズで記念写真を撮り、ミシマ社をあとにした。

その日、私はじゅんのお迎えに金メダルをつけて行った。たんぽぽ組の子どもたちは、金メダルをつけたまま外で遊んでいた。担任の先生から聞いたところによると、みんな、園に帰ったあとも、金メダルをつけたまま、給食を食べ、午後の活動をし、外で遊んでいた模様。おそらく、金メダルをつけたまま帰宅するのだろう。

あさと一緒に家に帰ったじゅんは、手を洗ってうがいをして、そのあとすぐに、あさに金メダルをかけてあげていた。

「あさちゃん、金メダル、きれいだにゃ〜」

あさは「なんだ、これ?」という顔をして金メダルをなめていた。

二月には生活発表会があった。生活発表会とは、年齢別の六つのクラスが、一年間の保育園生活の中から着想を得た出し物をする会である（あさの〇～一歳児クラスは、ハイハイやヨチヨチ歩きの披露が中心）。それぞれの出し物の幕間に、じゅんたち「たんぽぽ組」によるミニ出し物コーナーがある。五人くらいでコマまわしやマリつきなどを披露するのだが、今回は、そのひとつの「お話劇場」（自分たちがつくった紙芝居）として『ネコリンピック』に着想を得た「たんぽぽさんのにゃんぽぽりんぴっく」があった。「たんぽぽ組」のこの一年の出来事についての絵を描き、それに「ネコリンピックの精神」にのっとったセリフをつけていた。

いっぱくほいくは あめがふっても きにしなくて いいんだってにゃ～
はなせ（京都市北部の花脊） のもりまほうがっこうで まほうのしゅぎょうをしたよ
たんけんにでかけたときには あめがやんでいたしね
それはきっと まほうがかかっていたからなんだにゃ～

うんどうかいは おてんきのほうがいいけど
あめがふっても いいんだってにゃ～
どろんこのなか がんばってたみんなは かっこよかったし

うんどうかいはやっぱりたのしかったよ
だからあめでも へいきなんだにゃ〜
おでんぱーてぃーに つかおうとおもって うえた だいこんだけど
おでんぱーてぃーに まにあわなくっても いいんだってにゃ〜
もっとおおきくなって おいしくなってから
たべたほうがいいんだにゃ〜

などなど、どのセリフにも、「ネコリンピックの精神」が宿っていた。
「たんぽぽ組」の出し物は、ミュージカル仕立ての劇「少年少女冒険隊」だった。もともとある戯曲（中山譲作）を基にしながらも、一泊保育の魔法学校での修行と絡めたオリジナルのストーリーに仕立てられていた。あらすじは、子どもたちが魔女から宝物のある場所を記した地図を受けとり、仲間と協力して困難に立ち向かいながら、宝物のある場所を目指して進んでいくと、たどり着いたところにあったものは……、というものである。子どもたちはネッカチーフを首に巻き、リュックを背負って探検隊員ふうの格好で、しゃべり、歌った。劇の中で、じゅんは自分のセリフがない場面でも、首を傾げたり、驚いた表情をしたりと、細かいお芝居をしていたのがおもしろかった。
数々の冒険を経て、「たんぽぽ組のみんな」という宝物を見つけた子どもたちは、最後にステージで横一列になり、「ぼくのとなりに」（柚梨太郎作詞・作曲）という歌をうたった。

手がとどかない　遠いところに　夢をかなえる　何かがあると
信じていたから　空の向こうばかり　目を細めて　見つめていた
春は菜の花　咲いている道　夏はひぐらし　鳴いている道
きみといっしょに　陽が落ちてゆく空　目を細めて　見つめていた
どんな時も　きみがいた　ぼくのとなりに　きみがいた
遠い空の向こうじゃなくて　ぼくのとなりに
どんな時にも　きみがいた　ぼくのとなりに　きみがいた
笑いながら　夢を話せる　ぼくのとなりに　ぼくのともだち　ぼくのとなりに

じゅんはここでも細かなお芝居をしていた。手をつないだみんなが前を向いて大きな声で歌っているなかで、「ぼくのとなりに」のところで、左右の友だちのほうに顔を向けて目をあわせにっこりと笑っていた。とてもいい光景だった。

「ぼくのとなりにきみがいた」。子どもたちはそのことをごく自然に実現できているように思えた。

ところで、二〇二〇年七月に開催が予定されていた東京オリンピックは延期となった。「オリンピックは参加することに意義がある」と言われるが、現実的には、オリンピックは世界規模で「競う」場である。

それに対して、保育園の運動会は「競う」場ではない。「できる（ようになった）」ことを披露する場である。まだうまくできなくても、今、その子ができることをそのまま見てもらおうというスタンスである。けれども、その、子どもたちの一年間の伸びたるや。オリンピック選手と比べても、遜色（そんしょく）ないかもしれない。

それぞれ個性のある友だちと手を携えてその場をよりよきものにする子どもたちの力には、驚くばかりである。じゅんのあさに対する姿勢にも同じことが言える。

大きくなるにつれて、誰もが否が応でも競争の原理の中に入っていく。できる／できないで区別され、できる場合はさらに、人より早くできるようになること、人よりうまくできるようになることを求められる。やがて、私たちは好むと好まざるとにかかわらず、競争にあおられ、いつしかそれから降りることを極端に恐れるようになる。

保育園児は、なにごとにおいても月齢差が大きく、また個人差も大きい。そのため、「差や違いがあって当然」というスタンスが貫かれている。友だちと比べられることはほとんどない。友だちと助けあうのが当然のこととして定着している。非競争の原理がゆきわたっている集団といえるだろう（ついでながら、家族もそうであろう）。それは、今の世の中では、とてもやすらげる世界のように感じられる。

距離

保育園の卒園式は園の講堂の窓を開けはなって行われ、時間も短縮された。卒園式のあとは、例年なら、保育園の近くのホテルに移動して保護者主催の「卒園を祝う会」が開催されていた。子どもたち、保護者、先生方が参加して会食をしながら行われる催しである。

じゅんたちの「祝う会」に関しては、ほぼ一年前の春から内容の相談を始め、年明けから本格的な準備に入った。保護者による出し物の練習に取りかかった二月下旬に、それまではまだ少し距離感のあった新型コロナ感染拡大防止のための「自粛」が、日常生活のすぐそこまで近づいてきた。外出時に避ける場所としての「三密」〈換気の悪い〈密閉〉空間、多数が集まる〈密集〉場所、間近で会話や発声をする〈密接〉場面〉が言われはじめたのだ。

保護者のあいだでも、「祝う会」をどうするかの検討がなされた。「会食はなしにして、そのほかは予定通り開催する」「規模を縮小して開催する」「延期する」「中止する」といったさまざまな意見が出た。どれも子どもたちと先生方のことを想ってのものであるため、結論にいたるまでには時間がかかった。最終的には、卒園式の一週間前に、中止することが決まった。その代わりに、卒園式のあと、少し休憩をはさんで、同じ会場でごく短い「ひと時の祝う会」を開催することになった。

「ひと時の祝う会」の中には、保護者たちが画用紙でつくったネコの耳をつけ、子どもたちが大好きな絵本『ネコリンピック』ふうに、「例年通りでなくたって、いいんだってにゃ〜」と声をあわせて言う場面があった。この言葉に象徴されるように、保護者の想いがこもった、あたたかみのある会になった。

そのあと、子どもたちと保護者は保育園からほど近い御所に歩いて移動し、大きなイチョウの木の下でお弁当を広げた。そして、「魔女」から届いた手紙と地図をもとに慣れ親しんだ御所を歩きまわり、ひとりひとりがあたえられた課題（たとえば、コマまわしをする、側転をする）に挑戦する冒険ごっこを楽しんで解散した。今から思うと、まだそういうことができた状況だった。

そのころは、私自身も新型コロナウイルスに関してどう対応していいのか、つまりなにをどう自粛したらいいのか、よくわかっていなかった。外出時はマスクを着用し、手洗いとうがいを励行し、室内では十分な換気をするくらいの対策しか取っていなかった。周囲も同じようなものだったと思う。

四月に入ったあたりから、一気に様子が変わった。私自身の生活の中にも、自粛にまつわるあれこれが深くかかわってくるようになった。

最初にそれを体験したのは、四月五日にあった、ある学会の会議だった。会議は、直前になって、三密を避けてｚｏｏｍを使って行うことに決まった。

会議当日。午前の会議が始まる前に、じゅんには「パパはお部屋で会議をしているから、お部屋には入ってこないでね」と伝えておいた。が、そんなことは、土台無理な話である。じゅんの認識では、私が家にいるということは遊んでもらえるということだ。これまでそうしてきたから当然である。会議が始まって早々に、あさを引き連れて部屋に入ってきた。なにかを起こしそうな気配に満ちていた。予想通り、パソコンに向かっている私におかまいなしで、部屋の中をうろつきはじめた。パソコン画面の中の会議参加者が笑いながら手を振っているのを見て、私は「もしや」と振りかえった。案の定、じゅんとあさは私の背後で手を振っていた。

「こんにちは。じゅんくんです」

元気に挨拶までする始末である。

そのあとも私のそばをうろうろしていたが、しかたない。「自宅でオンライン会議となれば、当然、こういうことが起こる。それをわかってもらえたら」という思いもあり、しばらく、ふたりをそのままにさせておいた。

午後の会議の時間。あさを横の部屋で昼寝をさせ、妻はじゅんを連れて散歩に出た。「もう少し寝るかな」と思っていたあさが、突然、起きて泣きだした。私はあさをだっこし、ふたたび眠りにつくまで約三十分間、ゆらゆらさせながら会議に参加した。

あとから、会議に参加していたある方から「子連れ出勤は女性だけの特権ではないので、お子さんが画面に登場したのはとてもよかったですよ」と声をかけていただいた。「わかってくれている」とほっとした。

小学校は三月から休校になっていたが、入学式は予定通りに四月八日に行われた。入学式では、会場となった体育館に、新入生も保護者も隣と間隔をあけて座った。必要最小限にとどめた式のあと、クラスの集合写真を撮り、教室で担任の先生からの話を聞いて、解散となった。翌日は連絡事項の伝達のための登校があり、その次の日から休校に入った。

これまで、私は自宅で授業の準備をしたり、本を読んだり書きものをしたりしてきた。が、それはじゅんやあさが保育園に行っている時間や寝ている時間を使っていた。ふたりが起きているときは、仕事どころではなかった。

あさは保育園で夕方までみてもらえたので、問題はじゅんだ。じゅんは長時間ひとりでいることはまだできない。私は在宅勤務になったが、オンラインでの授業や会議があるため、じゅんのことをずっとみていることはできない。妻は会社に出勤して仕事。どちらの親も近くに住んでいないので、頼れない。小学校の休校中、じゅんをどうするかを、考えなければならなかった。

小さな子どもがいる家庭の場合、家で子どもをみながら仕事をすることはほぼ不可能だろう。この「テレワークと子ども問題」は、新聞などでもたびたび扱われている。しかし、この問題には、仕事（ワーク）に加え家事も含まれていることを忘れてはならない。じつのところは「テレワークと家事と子ども問題」なのだ。多くの人が直面し、悩んでいることだろう。

私は、在宅勤務となり、また普段から食事づくりを主に担当していることもあって、この「テレワークと家事と子ども問題」に否応なく直面することになった。

活動・行動の自粛、それとともにオンラインでできるものはするという発想が一気に広まったが、おとなしかいない空間を想定しているように思えた。子どもは、おとなのようにはいかない。子どもがいたら、おとなだけのようにはいかない。

では、子育て家庭はどう対応したらいいのか。私自身、よくわからなかった。それぞれの家庭が試行錯誤しながら、ギリギリのところで、なんとか対応してきたのではないだろうか。

じゅんだけなら、無理を承知で、私が家でなんとかみることもできたかもしれない。が、いたずら盛りのあさがいる。昼間はこれまで通り保育園でみてもらっているが、保育園に行くまでと帰ってからのあさの行動はすさまじい。妻とともにその相手をするだけでへとへとになる。そんな中、じゅんをみることは、同時に家事と仕事をすることは……、どう考えても無理だと思った。

私と妻は、じゅんをどうするか、かなり話しあった。結論としては、午前中は小学校の特例預かりに、午後は学童保育にお願いすることに決めた。私が十二時に小学校に迎えに行き、家で一緒に昼食をとり、十三時三十分から受け入れてくれる学童保育へ送る、ということにした。家族全員のこころとからだの健康を考えるとそれが一番いいのではないか、と思ったのだ。

その対応が定着してきたころである。四月十六日に緊急事態宣言の対象地域が全国に拡大され、同時に京都府は特別警戒都道府県に指定された。それを受けて、四月二十二日からじゅんの通っている学童保育は休校になった。じゅんはお昼に小学校の特別預かりから帰ってきたあとは家で私と過ごすことになった。

そのころ、勤務先の大学の授業では、五月十一日から始まるテレビ会議システムを使っての授業の前段階として、クラウド型教育支援システムを通じての課題のやりとりが中心だった。事前に課題を用意しておけば、授業開始時にアップされる。私はじゅんを小学校に送っていったあとの時間を使ってその授業準備をするようにした。授業後の課題の採点、コメント付けも午前中に終わらせるようにした。

学童保育休校一日目の午後、家でじゅんをずっとみた。そして、疲れはてた。これまで、土日にじゅんやあさをみているとき、「月曜になれば保育園に行ってもらえる」と思えたので、楽しみながら乗りきることができた。今回は、いつまで続くかわからない。それが疲れに大きく影響したのだろう。

翌日もあれこれ過ごし方を試行錯誤したが、なかなかうまくいかなかった。じゅんも私がうまく相手ができていないことがわかるのだろう、遊んでいてもどこか消化不良のようだった。

そこで、私はこれからの長丁場に備えて、じゅんをずっとみようとすることを、早々にあきらめた。私は、この手のあきらめは早い。

二十四日から、一緒に昼食をとったあとは、じゅんなりに「ひとりの時間」を過ごしてもらおうとした。

「じゅんくん、ちょっと相談なんだけど……。じゅんくんは小学一年生になったから、ひとりで遊べるかなーって思うんやけど。どうかなー」

「わからん」

「ちょっと試してみよーか」

「なんで？」

「学童がお休みになったから、夕方までパパと一緒でしょう。ふたりで毎日ずっと一緒にいたら、じゅんくんもパパもちょっとしんどいかなぁって」

「おらはしんどくない」

「『おらはしんどくない』か。ごめん、パパはちょっとしんどいかも」

「そーなん」

「そーかもしれんなーって。で、ちょっとだけ別の部屋でいるようにしたらいいかもって」

「ふーん」

「今、時計の短い針が二でしょう。それが四になるまでやってみよーか」

「いーけど」

「四になったら、一緒に外に行ってお散歩しよう」

「縄跳び、持っていっていい？」

「もちろん」

「じゃあ、おら、四まで遊んどく」

ひとりの時間に、じゅんはお絵描きに励んだ。

動物の絵、外国人の絵、忍者の絵、アンパンマンの絵、トイストーリーの絵、ゴレンジャーの悪者の絵、自分で考えたキャラクターの絵、鯉（こい）のぼりの絵などなど、次から次へと描いていった。それらをセロテープで束ね、「じゅんくんがつくったえのずかん」というタイトルの分厚い図鑑をつくった。

保育園時代の友だちに、手紙を書いた。

「コロナおわったら、おうちにきてね。いっしょにあそぼうね」

色紙にそう書き、裏には園庭で一緒に遊んでいる絵を描いていた。三〜四通、書いたのではないだろうか。

ある日は、物語をつくった。

むかしむかし　あるところに　ひとりのむスこがいました
そのむスこわ　あるひ　たびにでました
それで　むスこわ　たびにでて　のうこえ　やまおこえて　いきました
むスこが　あるいていると　ひがくれ　あたりが　まッくらになりました
そこに　いッけんの　おうちが　ありました
そのいえわ　おにのいえでした
むスこに　おにがおいかけてきました
えい　とびだしました

そこで　むスこわ　ちかみちお　とーた
おしまい

自由帳にそれぞれの場面の絵とともに書いていた。

ときおり、私の部屋に「見て、見て」と来ることもあったが、それはそれ。じゅんは、二時間、ひとりで遊んでくれた。

これを、単純に「じゅんがひとりで創造的に遊んでくれたからよかった」としてはいけないだろう。じゅんもがんばってくれたと思う。

「じゅんくん。ありがとう。短い針が四になったから、お散歩に行こうか」

「パパー、お散歩の前に、戦いごっこしよー。やーっ」

「あーっ、不意打ちだー。やられたー。しかえしするぞー」

「もーっ、上手投げはなし。パパは攻撃したらダーメ」

子どものからだは正直である。二時間、ひとりで絵や文字を書いていたら、いつもは戦いごっこをしないじゅんも、このときは戦いごっこをからだが強く欲したようだ。しばらく、戦いごっこをしたあと、ふたりで自宅近くの堀川に向かった。

堀川沿いの遊歩道に着くと、じゅんは縄跳びをしながら軽やかに走りだす。私はそのあとを歩いてついていく。ずいぶん先まで行ったじゅんが、私のところまで縄跳びをしながら戻ってきてくれる。そして、後ろ飛びに挑戦する。散歩初日は一回もできなかったが、やり続けているうちにできる回数が増えていった。

そして、とりとめもない話をした。やはり、外でからだを動かすのは気持ちいいのだろう、じゅんは次から次へと話しかけてくる。

「パパ、おとなってたいへんやなぁ」

突然、じゅんがそう言いだすことがあった。コロナ禍でおとながあたふたしていることを指しているのだろうか。

「なんで？」

「病院で寝ないといけへんし。血も採られるんやろ」

どうやら、少し前に私が人間ドッグに行く予定だったことを指しているようだった（前日に、病院からコロナにより外来中止との電話連絡がきて、延期になった）。

「パパは年いって結婚して、そして、じゅんくんたちが生まれたから、健康に気をつけないとあかんからなー」

「年いって、結婚したん？」

「そう。四十五歳のとき」

「年、いってんなー」

「年、いってたなー」

「結婚って、じゅんくんが好きな人がいても、その人がじゅんくんのことを好きになってくれへんかったら、できへんのやろ」

「そらそうやなぁ」

「ママは結婚する人がいーひんかったから、パパと結婚したんやろ」

「そうなんかなぁ」

「ママ、そー言ってた」

「そうなん。そしたら、やっぱり、おとなって、たいへんやなー」

一時間の散歩を終え、五時過ぎに私とじゅんは家に戻った。ほどなくして、妻とあさも帰ってくる。

あとから聞くと、じゅんは縄跳びをしながらの散歩が楽しかったようだ。もちろん私もそうだが、私にとってはその前の「一緒に家にいるが、離れている時間」が大きかったように思う。

一緒に家にいるが、離れている時間——今までそういうことはほとんどなかった。一緒に家にいたら、必ずといっていいくらい近くにいた。「一緒に家にいるが、離れていた時間」は、距離について考えるきっかけになった。

「外出時に避ける場所」としての「三密」。では、外出ではないとき、つまり自宅でいるときの「密」はどうなのだろう。これまで、家族とは密接な関係であることが望ましいとされてきたように思う。コロナ禍においても、それはたいして変わっていない。むしろ、家の外で密を避ける代わりに、家の中で家族と、物理的にも精神的にも密をすすめるような雰囲気さえあった（もちろん、感染予防については別の話になるが）。親と子どもは家に閉じこもってなんの問題もなく過ごせるものと、世間では考えられているようだった。そのためか、距離をとることがこれだけ要請されるなか、家族との距離、親子の距離はほとんど話題にならなかった。だが、先が見えない状況で、家族で、親子で、家にいるのはなかなかたいへんだ。

午後の二時間、私はじゅんとある一定の距離をとった。その二時間は、ほんの少しだがゆっくりさせてもらった。そのことで、それ以外の時間を、多少の余裕を持って、仕事と家事と育児にあてることができたように思う。家族、親子間にも距離が必要だとつくづく感じた。

臨床心理学者の高石恭子は、あるエッセイの中でこう述べている。

この非常事態下にあって、社会的距離を取ることの徹底と同時に多くの家の中で起きているのは、家族間の距離の喪失です。「距離」は取りようによって、世界中の人々の生命を脅かすウイルスを制圧する劇薬にもなるし、親と子の関係に決定的な影響を与える劇薬にもなります。一人ひとりのおかあさんたちにぜひ伝えたいのは、そのような今の状況に対して少しでも自覚的になり、「自分さえ努力すれば」と距離を見失ったまま頑張り続けないでほしいということです。

目の前のわが子にカッとなって手を上げるくらいなら、自分が一人で公園のベンチに座って木々を眺めてみることです。思い切って、いつもの保育所に子どもを送り出してもよいでしょう。これは不要不急ではなく、必要至急の「距離」の取り方です。繰り返しになりますが、緊急事態下にある社会は、弱い立場の者やマイノリティに非難の目を向けやすいのです。子どもを連れた母親も、弱者でありマイノリティです。冷ややかな目を向けてくる人に対しては、あなたに問題があるのではなく、その人自身が自分の不安と戦っているのだと思ってみてください。（高石恭子「距離という劇薬――ほどよい母親でいるために」『おかあさんのミカタ――変わる子育て、変わらないこころ』世界思想社のwebマガジン「せかいしそう」二〇二〇年五月八日）

母親に向けて書かれているが、私にも向けられている。そう思った。じゅんやあさを家でみるべきではないか、じゅんをずっとみておくべきではないか、散歩も控えるべきではないか、などと迷う気持ちが、私の中にはずっとあった。自分はもっとできるかもしれないのにそれをしていないのではないか、がんばりがたらないのではないか、と。高石の言葉は、罪悪感におちいりそうになる私のこころをさすってくれた気がした。

学童保育は五月七日から再開された。十五日間の休校だった。そのあいだにゴールデンウィークがあったので、平日は七日間。じゅんをずっとみようとしたのが、そのうちの二日。なので、「二時間のひとりの時間」は、言ってみれば、たった五日間のことである。たった五日間であっても、私にとっては、じゅんとの距離、その距離の持つ意味について考えた、決して短くない時間だった。

―――生活

二〇二〇年五月二十一日に緊急事態宣言が解除されたあとも、新型コロナウイルスの脅威が弱まることはなかった。手洗い、手指消毒、マスクの着用、換気、検温、「三密」回避、ソーシャル・ディスタンス、などが言われた。そして、オンライン。勤務先の大学は、五月十一日からオンラインでの授業となった。数週間たつと、私ですら否が応でも慣れた。

じゅんの通う小学校は、六月一日から授業が始まった。はじめのうちは午前中だけの授業だったので、じゅんは十二時過ぎにいったん家に帰ってきて、お昼ご飯を私と一緒に食べ、午後一時半に学童保育に向かった。

緊急事態宣言が解除されたとはいえ、家族の誰もが今ひとつ気持ちがすっきりしない毎日を送っていたので、何か「生命力」を感じることはできないものかと私は考えていた。授業が始まって一週間くらい経ったころのことである。「学校で、アサガオ、育てるんやで」と楽しそうに話すじゅんを見ていて、ベランダで家庭菜園をすることを思いついた。

兼業農家の息子でありながら、私は野菜づくりをしたことがない。じゅんとともにホームセンターに行き、「栽培が簡単」と袋に書いてあったキュウリとミニトマトの種、それと、じゅんが「これも」と言ったので、少し育ったオクラの鉢も買って帰った。翌日、妻が近くの花屋さんで腐葉土を買ってきた。じゅんとあさと一緒にプランターにその土を入れ、種をまいた。

四〜五日すると、キュウリの種をまいたところの土が盛り上がった。

「パパ、見て、見て、ここ、ふくらんでる」

「種が土の中でがんばってるんやね。明日くらいに芽が出るかもね」

次の日、キュウリは芽を出した。じゅんはたいそうよろこんだ。ほどなく、ミニトマトも芽を出した。

昼食がそうめんだった七月のある土曜日。じゅんはそうめんをすすりながら、ひらめいたように「キュウリができたら、そうめんに入れよな」と言った。

しかし、雨が続いたことによる日照不足、直射日光がほとんどあたらないベランダという悪条件からか、キュウリもミニトマトもうまく育たなかった。オクラはなるにはなったが、食べるタイミングがよくわからず、食べたときは固くなっていた。夏野菜をつくるのは簡単だろうと思っていたが、予想は外れた。

「徳島のじーちゃん、なんでもつくれて、すごいなー」

「そうやねぇ。今度、なにか育てるときは、じいちゃんに教えてもらおう」

「簡単」といえどもそれなりに手をかけないといけなかったのに、それが不十分だったようだ。できないことは、思いのほか多い。

じゅんの一学期最後の登校日は七月三十一日だった。特別な状況の中、そうではなくても小学一年生の一学期はたいへんだと思うが、先生方は子どもたちのことをほんとうによくみてくれていた。

八月一日から夏休み。じゅんは平日は夕方まで学童保育。土日は公園や御所で遊んだ。堀川での水遊びもたびたびした。密にならないように十分に気をつけて、可能なかぎり外で遊ばせた。

振りかえってみれば、小学生になったじゅんが京都市外に出たのは、二回だけである。

そのひとつは、九月中旬に行った浜松・静岡旅行である。一日目は浜松の中田島砂丘と浜松城を訪れた。中田島砂丘ではじゅんもあさも大はしゃぎで駆けまわり、波打ち際で水遊びに興じた。ふたりともびしょ濡れになり、砂の上で丸ごと着替えた。あさははじめての海に大興奮し、今までにないはしゃぎっぷりを見せてくれた。浜松城公園では、天守閣に登ったあと芝生広場で遊んだ。静岡に移動して迎えた二日目は、日本平で茶園越しに富士山を仰ぎ見た。眼下には清水港、伊豆半島。景色だけでお腹いっぱいになった。

ふたつめは、十月の六甲山登山である。一年前にも登ったのだが、そのときに通った道は直前の雨によって通行止めになっていたため、別の道から山頂を目指した。これがかなりの難ルートだった。一緒に登ったミシマ社のノザキさんとハセガワさん、そして私というおとなも息絶え絶えの道、ガケ、岩を、じゅんもがんばって登った。山頂に着いたとき私はへとへとだったが、じゅんはそれほど疲れていない様子だった。

「来年も、一緒に、登ろな」

ノザキさんとハセガワさんにそう言っていた。

九月なかばから、私のほうも後期授業が始まった。担当科目はすべて対面授業になったので、授業のある日は大学に行く。

月曜日は、五講時まで授業があるため、帰宅するのは夜の八時になる。それで、毎週月曜日はカレーをさっとつくってから、大学に向かっている。

十月のある月曜日、私が帰宅したとき、じゅんが駆けよってきた。

「パパ、お手紙あげる」

緑色の色紙の裏に「きょうのカレーはおいしいしおかわりしてしまいました。またつくってね。パパへ。じゅん」と書かれていた。その隣にはカレーライスの絵。

夕食を食べて、少し遊んだあとは宿題の時間である。小学一年生の宿題はそれほど多くない。裏表のプリント一枚、それに国語の教科書の音読、足し算と引き算の式が書かれたカードを使っての簡単な計算という、十~十五分くらいで終わるくらいの量である。

算数が少し苦手なじゅんは、プリントの計算をよくまちがえている。計算カードはこたえにつまると、裏面のこたえを見てしまう。まちがえることをとても嫌がる。私がまちがいを指摘すると、すねたり、怒ったり、泣いたり。

「ここ、まちがってるのとちがうかな。もう一回、計算してみたら」

「まちがってないし」

「じゃあ、それをたしかめるためにも、一緒にやってみよっか」

「……」

「ほら、やっぱり、こたえ、ちがうでしょ」

「知ってたし。パパがまちがってたし」

だんだんわけがわからないことを言いだし、最後には涙目になる。

「じゅんくん、まちがえるのは悪いことじゃないよ。まちがえるのは、自分がわかっていないところがわかるから、いいことなんよ。そこを、次はまちがえないようにしたらいいのとちがう？　まちがえたあとからが本当の勉強やとパパは思うよ」

「……」

「じゅんくんは、なんで怒るんかなぁ」

「なんでか……、怒っちゃう。そんなんダメってわかってても……、怒っちゃう」

じゅんは「勉強する」ということを勉強しているところだ。それにつきあいながら私も『学ぶ』ってどういうことなんだろう？」と考える。そして『『教える』ってどういうことだろう？」ということも。


宿題のあとは、テレビの時間だ。皆で「世界名作劇場」のアニメ作品をレンタルＤＶＤで見ている。じゅんが保育園の年長組だったときから続けている習慣だ。これまで「アルプスの少女ハイジ」（一九七四年放映）、「あらいぐまラスカル」（一九七七年放映）、「名犬ラッシー」（一九九六年放映）、「家族ロビンソン漂流記　ふしぎな島のフローネ」（一九八一年放映）、「家なき子レミ」（一九九六〜一九九七年放映）を見てきた。今は「赤毛のアン」（一九七九年放映）を見ている。

オープニングやエンディングの歌をじゅんが機嫌よく歌いながら踊ると、あさも見よう見まねで歌い踊る。

私は「ハイジ」と「ラスカル」を放映当時に見ていた。四十年後、自分の子どもと一緒に見ているのは、なんとも不思議な感覚だ。「赤毛のアン」シリーズを買いそろえ、プリンスエドワード島に行くことを夢見たという妻は、「男の子もこういうのをちゃんと見てほしいわ。そのほうが、絶対、世界が広がる」と言う。

十二月に入ったころから、じゅんは布団に入る前に「サンタさん、プレゼント、お願いします」と言いはじめた。

十二月二十四日はチキンがメインの夕食。

「じゅんくんとあさちゃんは、サンタさんが来てくれるからいいなぁ」

「なんでサンタさんは、子どもだけにしかこーへんの？」

「うーーん。未来は子どものものだから……かなぁ」

「その子どもがよろこぶのを見て、おとなはよろこぶんやなー」

いつもより早く布団に入ったじゅんとあさのところに、サンタさんが来てくれた。

二十五日の朝五時、じゅんに肩をたたかれ、目を覚ました。

「おしっこ、一緒に行こ」

いつもはひとりで行けるのだが、たまにさそわれることがある。

「一緒に行こか」

じゅんにつきあって起きた。

「あった！」

「なに？」

「サンタさんのプレゼント！　袋が置いてある」

にっこり安心した様子でトイレに向かう。

トイレから戻り、プレゼントが気になりつつももう一度布団に入ったじゅん。七時に起きて、あらためて「サンタさん、プレゼント持ってきてくれた！」とよろこんだ。


プレゼントと言えば、年の瀬にはこんなことが。

「パパは大きくなったらなんになりたい？」

五歳だったじゅんが、私に言った言葉である。その質問を、二年ぶりに受けた。

「うーん」

あのときと同じように、私は考えこんだ。そうすると、じゅんはこう言った。

「お手伝いする人になったらいいよ」

その言葉に、私は意表を突かれた。

「なんでそう思ったの？」

「パパはやさしいから、なれると思った」

自分がやさしいかどうかはわからないが、じゅんの言葉は、私にとってとても大きなプレゼントだった。そして、そうなりたいと思った。

長田弘に「わたし（たち）にとって大切なもの」という詩がある。その後半を引く。


さりげないもの。

さりげない孤独。さりげない持続。

くつろぐこと。くつろぎをたもつこと。

そして自分自身と言葉を交わすこと。

一人の人間のなかには、すべての人間がいる。


ありふれたもの。

波の引いてゆく磯。

遠く近く、鳥たちの声。

何一つ、隠されていない。
海からの光が、祝福のようだ。

なくてはならないもの。
何でもないもの。なにげないもの。
ささやかなもの。なくしたくないもの。
ひと知れぬもの。いまはないもの。
さりげないもの。ありふれたもの。

もっとも平凡なもの。
平凡であることを恐れてはいけない。
わたし（たち）の名誉は、平凡な時代の名誉だ。
明日の朝、ラッパは鳴らない。
深呼吸しろ。一日がまた、静かにはじまる。
（『長田弘全詩集』みすず書房、二〇一五年、四五三―四五四頁）

私にとって大切なものは、さりげなくて、ありふれていて、なくてはならない、もっとも平凡な、生活である。

あとがき

私は「46歳で父になった社会学者」である。そして、この本を書いているうちに五十四歳になった。もともと自分が社会学者であるという意識は強くなかったが、子育てを通してさらに弱まった。

社会学者として社会のことをあれこれ考えるより、ひとりの親として社会のことを考えることのほうが勝るようになった。それが性にあっているようにも思う。

「今、じゅんが生きているのはどんな社会なんだろう」

「じゅんがおとなになったとき、どんな社会になっているんだろう」

「じゅんたちはどんな社会をつくっていくんだろう」

ということを常に考える。と同時に、「じゅんたちのために、いい社会をつくっていかないといけない」と、ひとりのおとなとしての責任を強く感じる。

自分が社会の一員であることにより自覚的になるにつれ、「自分のこととして社会を書きたい」と思うようになった。

そしてできあがったのがこの本である。一番小さな社会について書いた本と言えるかもしれない。人と人とが出会い交わることによって、あらたな社会が生まれる。一番身近であるにもかかわらず、未知の存在である子どもと過ごした時間は、今ここにある社会の肌ざわりを生き生きと感じさせてくれた。

じゅんが三〜四歳のときに、私は発表するあてもなくこの本のもとになる文章を書いた。ひょんなきっかけから、それをミシマ社の新居未希さんに読んでもらった。新居さんが共感してくれたおかげで、ミシマ社のｗｅｂマガジン「みんなのミシマガジン」への連載が決まった。

連載はじゅんが五歳のときに始まった。産休・育休に入った新居さんからバトンを引きついだ野﨑敬乃さんが担当してくれた。連載ではもとの原稿を大幅に修正していったのだが、野﨑さんからの適切なコメントがその作業を後押ししてくれた。

じゅんが七歳のとき、連載が終わった。それを受けて出版の打ちあわせを行った際には、三島邦弘さんから「よりよい未来をつくるために必要な本」と言っていただいた。ありがたいその言葉によって、この本の性格がはっきりした。

この本はミシマ社の皆さんとのご縁によって書かせてもらった気がしている。もちろん、じゅん、あさ、妻とのいつもの生活によって書かせてもらったのは言うまでもない。

二〇二一年二月

工藤保則

工藤保則（くどう・やすのり）

1967年、徳島県生まれ。龍谷大学教授。専門は文化社会学。著書に『中高生の社会化とネットワーク』（ミネルヴァ書房）、『カワイイ社会・学』（第25回橋本峰雄賞、関西学院大学出版会）、共編著に『無印都市の社会学』（法律文化社）、『〈オトコの育児〉の社会学』（ミネルヴァ書房）などがある。現在、7歳の息子と2歳の娘の子育てまっただ中。

46歳で父になった社会学者

二〇二一年三月二十二日　初版第一刷発行

著者　工藤保則

発行者　三島邦弘
発行所　株式会社ミシマ社
郵便番号　一五二－〇〇三五
東京都目黒区自由が丘二－六－一三
電話　〇三（三七二四）五六一六
FAX　〇三（三七二四）五六一八
e-mail　hatena@mishimasha.com
URL　http://www.mishimasha.com/
振替　〇〇一六〇－一－三七二九七六

ブックデザイン　尾原史和（BOOTLEG）

印刷・製本　藤原印刷株式会社
組版　有限会社エヴリ・シンク

本書は「みんなのミシマガジン」（mishimaga.com）に「46歳で父になった社会学者」（二〇一八年十一月～二〇二一年二月）と題して連載されたものに、書き下ろし原稿を加え、再構成し、加筆・修正したものです。

ISBN　978-4-909394-49-1